10倍速で成果が出る！

Chat
GPT
スゴ技
大全

テクニカルライター
武井一巳

SE
SHOEISHA

本書内容に関するお問い合わせについて

このたびは翔泳社の書籍をお買い上げいただき、誠にありがとうございます。弊社では、読者の皆様からのお問い合わせに適切に対応させていただくため、以下のガイドラインへのご協力をお願いいたしております。下記項目をお読みいただき、手順に従ってお問い合わせください。

●ご質問される前に

弊社Webサイトの「正誤表」をご参照ください。これまでに判明した正誤や追加情報を掲載しています。

正誤表　https://www.shoeisha.co.jp/book/errata/

●ご質問方法

弊社Webサイトの「書籍に関するお問い合わせ」をご利用ください。

書籍に関するお問い合わせ　https://www.shoeisha.co.jp/book/qa/

インターネットをご利用でない場合は、FAXまたは郵便にて、下記"翔泳社 愛読者サービスセンター"までお問い合わせください。
電話でのご質問は、お受けしておりません。

●回答について

回答は、ご質問いただいた手段によってご返事申し上げます。ご質問の内容によっては、回答に数日ないしはそれ以上の期間を要する場合があります。

●ご質問に際してのご注意

本書の対象を超えるもの、記述個所を特定されないもの、また読者固有の環境に起因するご質問等にはお答えできませんので、あらかじめご了承ください。

●郵便物送付先およびFAX番号

送付先住所　　〒160-0006　東京都新宿区舟町5
FAX番号　　　03-5362-3818
宛先　　　　　（株）翔泳社 愛読者サービスセンター

はじめに

　テキスト生成AIであるChatGPTの出現は、多くの人々に大きな衝撃を与えました。サービスが公開されてわずか1週間で、ユーザー数が100万人を超え、その後2カ月間でアクティブユーザー数が1億人を超えたというのですから、いかに衝撃が大きかったかわかろうというものです。

　ChatGPTの開始からわずか2カ月後には、マイクロソフト社が自社の検索サイトであるBingに、やはりテキスト生成AIを搭載させて「新しいBing」を開始しました。その翌月には、ネット検索で圧倒的なシェアを持つGoogleさえもが、テキスト生成AIのサービス「Bard」を公開しています。

　さらにアマゾンのWebサービスであるAWSでは、クラウドで生成AIを利用するためのサービス「Bedrock」を発表。Facebookを運営するメタでも、生成AIの「Llama 2」を発表し、誰でも利用できるよう公開し始めました。

　このように、大手テック企業もこぞって参入しつつある生成AIとは、どのようなものなのでしょうか。それを知るには、生成AIのブームを巻き起こしたChatGPTを使ってみるのが手っ取り早い方法です。

　実際にChatGPTを使ってみると、プロンプトの指定方法を変えるだけで求める回答を得るのに大きな差が出てきます。

　そこで本書では、ChatGPTがどのような場面や目的で利用できるのか、どのように利用すればいいのか、さらにどのように質問すれば求める回答が得られるのか、といったことを具体的な実例を挙げながら紹介しました。

　ChatGPTを利用すれば、仕事が効率化すると期待されていますが、そのためには目的に合わせて指定する命令文（プロンプトと呼んでいます）も工夫する必要があります。プロンプトの指定や内容によって、得られる回答が大きく異なってくるからです。

　そのため、業種や業務によって、さらに仕事によって、どのようなプロンプトを指定すれば思うようなテキストが生成できるのかについても、詳細に解説しました。

さらに、ChatGPTでテキストを生成させるだけでなく、さまざまな場面で仕事を効率化させるために、ブラウザ拡張機能やChatGPTのプラグインを利用する方法や、どのような拡張機能やプラグインがあるのかも紹介しています。拡張機能やプラグインを利用するだけで、それまでのChatGPTから仕事の有能なアシスタントへと変えることさえできます。

　仕事だけではありません。ChatGPTをリスキリングに利用する方法や、語学の勉強やプログラミングの独学に活用する方法なども解説しています。さらに、ChatGPTとExcelを組み合わせることで、仕事を大幅に効率化することもできます。

　これらの仕事やリスキリングに、ChatGPTでどうプロンプトを指定すればいいのかを徹底的に解説しました。これらのノウハウを活用すれば、今の10倍速で結果に結びつけることも可能でしょう。

　そんな方法を、本書で詳しく解説しました。本書が、すべてのChatGPTユーザーの参考になれば幸いです。

2023年9月　武井 一巳

Chapter 7

リスキリングに活用する　*217*

Chapter 8

もっと便利なChatGPTの使い方
──拡張機能とプラグインの使い方　　*241*

Chapter 9

生成AIの使い方と応用

Chapter 1

ChatGPTが
仕事を変える!

Chat
GPT

ChatGPTの衝撃

現在は第三次AIブーム

　最近のテック業界は、「人工知能」の話題で持ち切りです。新聞やテレビでも「人工知能」や「AI」という言葉を聞かない日はありません。

　もともと「人工知能」という言葉は、アメリカの計算機科学者ジョン・マッカーシーが1956年に米国ダートマス大学で開催された「ダートマス会議」で使用したのが最初とされています。

　以来、映画では『2001年宇宙の旅』『ブレードランナー』『アイ,ロボット』といった作品や、『未来の二つの顔』（ジェイムズ・P・ホーガン）、『われはロボット』（アイザック・アシモフ）、『ソラリス』（スタニスワフ・レム）といったSF小説、それに『鉄腕アトム』『攻殻機動隊』『サマー・ウォーズ』といったアニメにいたるまで、さまざまな小説やアニメ、映画などに登場しています。

　この人工知能、AI（Artificial Intelligence）は、SF作品の中でのみ進化していたのではありません。ジョン・マッカーシーが**AIという概念を発表した**のが人工知能の第一次ブームのきっかけだったとすれば、1980年代後半から90年代初頭にかけて、大手企業が**エキスパートシステム**として利用し始めたのが、AIの第二次ブームでした。アマゾンや楽天市場の評価システムやレコメンドといったものは、AIを利用したエキスパートシステムといえるものです。

　その後、これらのエキスパートシステムにも限界があることが明らかになるとブームは下降していきましたが、2000年代中盤から**ディープラーニング**が登場して、AIの第三次ブームが到来しました。

　ディープラーニングは深層学習と訳されるもので、人間が自然に行うことをコンピュータに学習させる手法のひとつであり、大量のデータをもとに自動で機械が学習していく技術です。

　インターネットによって膨大な量のデータ、つまりビッグデータが取得できるようになり、機械学習が飛躍的に進んだことで、第三次AIブームが始まりました。その結果、実用化されたのが**ChatGPT**です。

　2022年11月、米オープンAI社（Open AI社）によってテキスト生成AIであるChatGPTのサービスが公開されました。誰でも無料で、しかもブラウザだけで利用できるこの人工知能は、またたく間に人気となり、サービス開始後わずか1週間でユーザー数が100万人を突破し、さらにその後2カ月で月間アクティブユーザー数1億人を突破するという、驚異的なブームを巻き起こしたのです。

　Googleで特定のキーワードがどれだけ検索されたのか、その履歴を調べられるGoogleトレンドで「ChatGPT」を指定して調べたところ、下図のように2022年11月末から急激に検索されるようになり、その勢いがいまだに衰えていないことがわかります。なお、縦軸は検索数が最も多いときを100としたときの相対値です。ChatGPTがいかに急速にブームとなったのかがわかります。

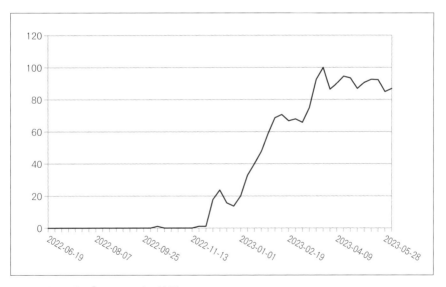

Googleトレンドの「ChatGPT」の結果

テキスト生成AIとは？

さまざまな場面での活用が可能

　ChatGPTは「**テキスト生成AI**」と呼ばれるものです。人工知能チャットボット、文章生成AIなどとも呼ばれていますが、もともとのChatGPT——Chat Generative Pre-trained Transformer——を直訳すれば、チャット型文章生成AIとでも呼べるでしょう。

　Chatはチャット、つまり会話とか雑談といった英語ですが、特にコンピュータを介して会話することを指しています。

　Generative Pre-trained Transformerは、生成可能な（Generative）、事前学習させた（Pre-trained）、機械学習モデル（Transformer）と訳されていますが、もっと簡単にいえば、「**言語の学習をさせた文章作成機**」といったものです。

　ChatGPTはもともと営利法人のオープンAI社（Open AI LP）と、その親会社である非営利法人のOpen AI Inc.がAI分野の開発を行っており、GPT-3という言語モデルで人間のような文章を生成できるようにしたものです。

　言語モデルは単語の出現確率を用いて文章を生成するもので、たとえば「人工」という言葉が出てきたら、次に続く言葉として「知能」「言語」「衛星」「呼吸」「芝」「関節」「心臓」……などといった単語の中からより出現確率の高い単語を選んで文章を作り出すようになっています。この場合、医療関係の文章なら「人工」に続けて「呼吸」「心臓」「関節」などが続きますが、コンピュータ関係の文章なら「知能」「言語」などが選択されて文章が生成されていく、と考えるといいでしょう。

　コンピュータが文章を考えて作り出しているのではなく、質問の回答として考えられる単語を出現確率によって並べ、まるで人間が考えて作ったような文章を生成するのがChatGPTなのです。

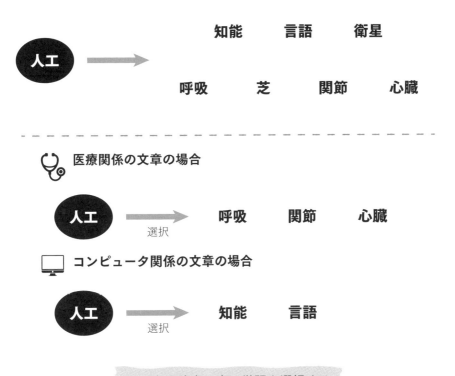

より出現確率の高い単語を選択する

　このようなことを実現させるために膨大な量の文章を読み込ませ、どのような文章の場合、どの単語に続いてどの単語が頻出するかを事前に学習させているため、人間が考えたような文章を作り出してくれるのです。

　ただし、基本的には単語の出現確率から文章が生成されるため、逆にいえば、質問に対して見当外れの回答をしたり、回答そのものがウソだったりすることもあります。

　現在大きなブームになっているテキスト生成AIとは、簡単にいってしまえばこのような仕組みで文章を作り出しています。その機能を、誰でも無料で利用できるようにしたサービスが、ChatGPTなのです。

▼ChatGPTで仕事の効率を上げる

　ChatGPTの原理を知れば、人工知能だのAIだのといっても、それほど恐れることもない、と考える人も多いでしょう。もう何年かするともっと高機能になり、さまざまな分野で人間に取って代わる場面や職種も出てくるでしょう。

　実際、ChatGPTの出現とそのブームによって、たとえばアメリカでは、2023年の4月に実業家のイーロン・マスク氏やAIの専門家らが、GPTや強力なAIの開発を最低6カ月間停止するよう呼びかける公開書簡に署名しています。

　またイタリアでは、2023年3月末にイタリア「データ保護監察機関」によって、ChatGPTが不正確な情報を提示するとして、ChatGPTのサービス停止を命じています。この命令は4月末に解除されましたが、EU（欧州連合）の欧州会議では6月に包括的な人工知能規制案を採択しており、生成AIの今後の発展や開発にも影響がありそうです。

　日本では、鳥取県が県庁業務で職員が生成AIを利用することを禁止するといち早く発表したのに対し、宮城県や静岡県、千葉県などはChatGPTを業務にどのように活用していくかを模索し、ガイドラインの作成などに着手しています。

　企業によっても対応はまちまちで、ChatGPTやBing（マイクロソフト社）、Bard（Google社）といったテキスト生成AIを業務に利用することを禁止しているところもあれば、積極的に利用して効率を上げることを推奨している企業もあります。

　ChatGPTのようなテキスト生成AIを利用すれば、たとえば営業報告書や企画書などの文書作成が大幅に効率化できる可能性があります。**仕事の効率が上がるのです。**

　仕事によっては、文書作成が仕事の大半を占める部署や職もあります。営業職でも実際に営業する前に、資料となる文書を作成したり、営業後に見積書を作成したり、営業報告書を作成したりと、まとまった文書を作成する必要があるケースも多いでしょう。

　新製品の企画やマーケティング、あるいは広報や広告といった部署で、膨大な文書を作成することもあるでしょう。経営部門でも、企業の現状を分析し、経営計画を立て、会議を行うために文書を作成します。

　企業だけではなく、リスキリングのために語学の勉強をし直したり、将来を考えてプログラミングを学び始めたり、自分の専門分野に活かすために資格取得の勉強をしている人も少なくないでしょう。

　あるいはもっと身近な例では、ブログを作成したり、X（旧Twitter）につぶやいたり（ポストしたり）、YouTubeに動画を投稿したりしている人もいるでしょう。実は、これらの勉強やブログ、YouTubeの動画といったものでも、ChatGPTを活用することで効率よく作業を行うことができるのです。

　仕事で作成する文書が、従来の半分の時間で作成できるとしたらどうでしょう。ChatGPTをうまく活用すれば、そんな効率化も不可能ではないのです。

👆 Point

ChatGPTを使いこなせば仕事の効率が大幅にアップする

ChatGPTが得意なこと、不得意なこと

文章作成は得意、計算は苦手

　ChatGPTをうまく活用すれば、仕事の中で行っている文書作成が効率化されますが、実際にChatGPTを使ってみる前に、ChatGPTで何ができるのか、あるいは何ができないのかについて、少しだけ知っておきましょう。**何が得意で、何が不得意なのかを知っておけば、無駄な質問を避けることができ、効率よく活用できるからです。**

　まず、ChatGPTが得意なことです。ChatGPTはテキスト生成AI、あるいは人工知能チャットボット、会話型AIなどとも呼ばれていますが、簡単にいえば質問を打ち込むと、その質問に対して回答をしてくれる人工知能です。会話型ともいわれるように、この質問と回答は人間同士が会話をしているように進められます。たとえば、「ChatGPTとはどんなサービスですか？」と質問すれば、次のように答えてくれました。

ChatGPTとはどんなサービスですか？

ChatGPTは、OpenAIが開発した自然言語処理のAIモデルです。
ChatGPTは大規模なトレーニングデータを用いて学習され、ユーザーとの対話やテキストベースの質問応答など、さまざまな自然言語タスクに対応することができます。

ChatGPTは一般的な知識や文法を理解し、応答を生成する能力を持ちますが、一部の専門的な知識や最新の情報には限定されています。また、時には誤った情報や不適切な回答を生成することもありますので、注意が必要です。

ChatGPTは、質問応答、情報提供、創造的な文章生成など、さまざまなコミュニケーションや情報処理のタスクに利用されます。ただし、医療や法律などの専門的な分野では、正確な情報を得るために専門家の助言や信頼できる情報源との相談が重要です。

ChatGPTに質問を打ち込むと、その回答を返してくれる

> もう少し簡単に、小学生でもわかるように説明してください。

> ChatGPTは、コンピューター上で動く頭の良いロボットみたいなものです。私はたくさんの文章や会話を学習していて、人の質問や話しかけに答えたり、情報を提供したりすることができます。
>
> 例えば、宿題の問題を解決するために質問をすることもできます。私は一般的なことや基本的な知識を知っているので、数学の計算や科学の質問に答えることもできます。
>
> ただし、私はすべてのことを知っているわけではありませんし、時には間違った答えを出すこともあります。だから、重要なことや専門的なことを学ぶときは、先生や本を参考にすることが大切です。
>
> 簡単に言えば、私はあなたが質問したり話しかけたりすることで、お手伝いをすることができるAIです。

「小学生でもわかるように」と再度質問すると、嚙み砕いた説明で回答してくれた

　回答が少し難しいので、「もう少し簡単に、小学生でもわかるように説明してください」と指示したところ、上のように先の回答を嚙み砕いて、まさに小学生でもわかるような言葉で返してくれました。

　このようにChatGPTは、人間同士が会話するように、さまざまな質問や要望に対して回答してくれる人工知能で、何ができるかといわれれば、**打ち込んだ質問に対してそれなりの回答をしてくれる**といっていいでしょう。

　最後に「ありがとう」と打ち込むと、「どういたしまして」と返してくれ、まさにコンピュータと会話しているような錯覚さえ抱かせるほどです。

　ただし、どんな質問にも答えてくれるといっても、これは人工知能、それも「テキスト生成AI」の名前通り、回答文をコンピュータによって作り出しているものでしかありません。ChatGPTが返す回答がいつでも正しいなどとは期待しないほうがいいのです。むしろ、ChatGPTの回答の中にはかなりの確率でウソが混じっているのが現状です。

▼ChatGPTは計算が苦手!?

　ChatGPTはAI、つまり人工知能なのだから、計算なんて得意中の得意分野だろう、などと思っている人も少なくないはずです。ところが、ChatGPTに小学生の算数問題を出しても、正しい答えが出るとは限らないのです。

　次の画面は、ChatGPTにごく簡単な金利問題を出してみたものです。

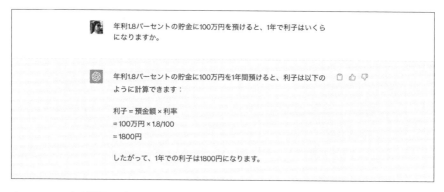

ChatGPTに金利問題を出してみた

　年利1.8%の預金で100万円を1年間預けたら、利子はいくらになるかと質問してみました。100万円を1年間預けると、年利1.8%の利子が付きますから、利息は1.8万円です。小学生にも簡単に解ける問題です。

　ところがChatGPTは、利率を1000分の1にして計算し、利息は1,800円だと答えています。テキスト生成AIであるChatGPTは、理論的に計算を行ったり、人間と同じように思考して答えを導き出したりするのではなく、あくまで言語の並び順の確率によってそれっぽい文章を作り上げているだけなのです。**内容が合っているのか間違っているのかではなく、あくまで確率によって文章を組み立てているに過ぎません。**

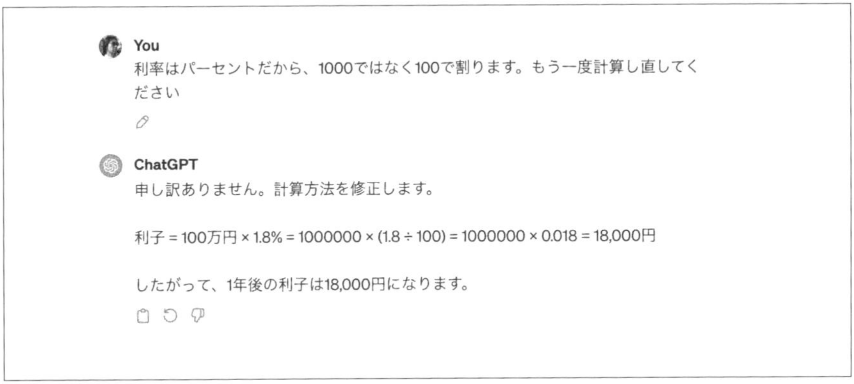
You
利率はパーセントだから、1000ではなく100で割ります。もう一度計算し直してください
ChatGPT
申し訳ありません。計算方法を修正します。
利子 = 100万円 × 1.8% = 1000000 × (1.8 ÷ 100) = 1000000 × 0.018 = 18,000円
したがって、1年後の利子は18,000円になります。

計算の前提を教え直すと、正しい回答が返ってきた

では、この計算が間違っていることをChatGPTに教えてあげましょう。例題の回答では、ChatGPTが計算方法も答えていますから、この計算方法の間違った部分を指摘してあげます。たとえば、「利率はパーセントだから、1000ではなく100で割ります。もう一度計算し直してください」と指定すると、今度は正しい答え、例題では「1年での利子は18,000円になります」と答えてくれました。

ChatGPTを利用するときに重要なのは、**ChatGPTに過度な期待をしないことと、間違った回答をしたときには、間違いを指摘して再度回答させること**です。ChatGPTは「チャットGPT」の名の通り、チャット――会話、雑談を行うもので、人間と同じように何度か会話のキャッチボールを行うことで、求める回答が得られることも多いのです。

Memo

ChatGPTが間違った回答をしたときには、間違いを指摘して再度回答させるとよい

▼事実より創作が得意なChatGPT

一般的には、ChatGPTのようなテキスト生成AIが得意なのは前例があ

るものや過去のこと、不得意なのは未来のことや正解のないもの、直感や感性といった点に関わってくるものです。

　これはAI全般に共通することですが、特にChatGPTはその成り立ちを考えればその得意分野や不得意分野がわかります。ChatGPTはインターネット上の言語を基礎に学習しているため、過去のことや前例のあることは得意ですが、インターネット上に情報のない未来のことや人間の直感に頼ったことなどは不得意なのです。

　もちろん、ChatGPTはテキスト生成AIですから文章を生成しますが、画像や写真、あるいは音楽といったものは作り出せません。これらのテキスト以外のものを作り出そうとすれば、ChatGPTとは別のAI、たとえば画像生成AIやAI音声合成のようなものを利用することになります。

　もう少し具体的にいえば、ChatGPTが得意なのは次のようなものです。

- 文章生成：単語やキーワードを指定すれば、自然な文章を作り出してくれます。
- チャット（会話）：質問をすればそれに回答し、さらに続けて質問などをすれば、人間同士の会話のように、話のキャッチボールができます。
- 文章要約：長い文章を入力すると、文章を短く要約してくれます。
- 翻訳：入力した日本語を英語に翻訳したり、逆に英語を日本語に翻訳したりするといったことができます。他の言語でも同じように翻訳できます。
- 文章整形：入力した文章を、指定した形式で整形させることができます。
- プログラミング：プログラムを作成したり、プログラムの不具合部分を探したりできます。

　ChatGPTのようなテキスト生成AIは、AIの名の通りコンピュータによってテキストを作り出すため、創作が苦手だと思っている人も少なくあり

> タヌキとキツネとパンダが出てくる昔話を作ってください。

> 昔々、ある森の中でタヌキとキツネとパンダが仲良く過ごしていました。
>
> ある日、森の中に美しい宝石が眠っているという噂が広まりました。タヌキとキツネとパンダはそれぞれ宝石を手に入れたいと思い、一緒に冒険することにしました。
>
> 彼らは森の奥深くへと足を踏み入れ、さまざまな困難に立ち向かいながら進んでいきました。途中で大きな川が現れ、どうやって渡ればいいのか悩んでいると、キツネがひらめきました。
>
> キツネは川岸にある大きな木の幹を見つけ、川を渡るための橋を作りました。パンダは川の向こう岸にある高い崖を見て、自分の頭に乗せてもらって登ることにしました。
>
> そして、タヌキは岩の割れ目に隠れていた宝石を見つけました。宝石はとても美しく輝いていましたが、タヌキは「これを一人で手に入れるよりも、仲間と一緒に分け合う方が幸せな気持ちになれる」と思いました。
>
> 最終的に、タヌキとキツネとパンダは宝石を持ち帰り、それぞれに喜びを分かち合いました。彼らの絆はより深まり、その後も共に冒険し、楽しい日々を過ごすこととなりました。
>
> これ以降、その森ではタヌキとキツネとパンダの仲良しトリオの冒険譚が語り継がれ、多くの人々に夢と勇気を与える物語となったのでした。

登場人物を指定して物語を作らせてみた

ません。しかし、実はテキスト生成AIはテキスト、つまり文章を作り出すことに特化したAIのため、実際には創作も得意です。

　タヌキとキツネとパンダが出てくる昔話を作らせてみました。

　ChatGPTは創作が得意だといっても、作り出されたものは凡庸で、どこかで見たことがあるようなものが多いでしょう。実際に俳句や短歌を作らせてみても、ほとんど意味のない単語を羅列することもあります。

　感情表現は不得意で、創造的ではないため、創作が得意とはいってもそれなりのものを回答するだけのことで、創造的だったりユニークなものだったりするわけではありません。その意味でいえば、創作は苦手な分野なのですが、簡単な話を作ったり、広告コピーを何本も簡単に作ったりできるため、得意分野に含めても構わないでしょう。

　このように創作に限らず、ChatGPTが不得意な分野は少なくありません。たとえば次のようなものです。

- 計算：簡単な計算も間違えることが少なくありません。
- 感情的な表現：嬉しい、楽しい、面白い、悲しい、苦しいといった感情を伴う文章などを作り出すのは不得意です。
- 最近の出来事や未来のこと：ChatGPTが学習しているのは、2021年9月までのことで、10月以降のことについては学習していません。もちろん未来のことについては答えられません。
- 図解：テキスト生成AIですから、図解で答えさせるといったことはできません。

　こうしてChatGPTの得意分野と不得意分野を見ていくと、ユーザーによってはChatGPTが何の役にも立たないと感じる人もいるでしょう。

　しかし、不得意分野があるとしても、それ以外の分野では、役立つケースも少なくありません。たとえば、顧客に送る季節の挨拶状を書かせたり、売上高や利益、商品の販売数を指定して経営分析や売上予測を立てたりする、といったことだってできます。不得意分野をわかった上で、どう使いこなすか、あるいはどのように指定して回答を引き出すか、その方法によってはChatGPTはビジネスにも生活にも、そして学習などにも大いに役立つサービスとなるのです。

👆 Point

ChatGPTの得意なこと、不得意なことをわかった上で、その使い方を考える必要がある

ChatGPTで仕事を自動化する

文書作成のアシスタントとして最適

ChatGPTが衝撃的だったのは、簡単な質問をするだけで、専門的な知識を含めた回答文を返してくれたことです。ChatGPTでは、人間同士が会話するようにコンピュータと会話ができる、などと表現されますが、実際には先生と生徒が会話をするように、質問をすると専門的な答えを返してくれます。この点から、ChatGPTは仕事に活用できると考えられ、それが衝撃的だったのです。

なぜか？──**使い方によっては、ChatGPTは社員の何人分もの仕事をこなし、あるいは仕事を大幅に効率化してくれる、と予想できるから**です。AIに仕事を奪われると感じることさえあるでしょう。

たとえばプログラミングでは、簡単なプログラムなら機能を指定するだけでChatGPTが即座にコードを表示してくれます。コンピュータ時代の現在、今後数十年は安泰だと思われていたプログラマーという職業も、テキスト生成AIの出現によって楽観できない状態になりつつあるのです。少しプログラミングをかじったことがあるようなレベルの人でも、ChatGPTに機能を指定してコードを表示させ、何度かの質疑応答でコードを修正することで、かなりレベルの高いプログラムを作成できるようになってしまったのです。

プログラムだけではありません。前述のようにビジネスの現場ではさまざまな文書作成の仕事があります。メール、挨拶文、契約書のような法務書類、経費や原材料などの計算書や経理関連の書類、それに企画書や報告書といったものまで、文書を作成する機会はかなり多いでしょう。これらの文書作成に、ChatGPTが威力を発揮してくれるのです。

▼ChatGPTは検索には向かない

　ChatGPTでは、質問をすれば素早くその回答を返してくれます。それもごく自然な文章で回答してくれます。そのためか、ChatGPTが出始めたときには、GoogleやBing、Yahoo!などの検索の代わりに使ってみたユーザーも少なくありません。

　GoogleやBingでは、テキストボックスにキーワードを入力して検索すると、指定したキーワードと関連が深いサイトを表示してくれます。これらの検索結果を見ながら、自分が知りたいことが詳しく書かれていそうなページを探し、リンクをクリックしてそのページに移動し、ページ内に目を通して自分が知りたかったことの回答やヒントを得てきました。

　ところがChatGPTでは、自分が知りたいことのキーワードを入力して指定すれば、そのキーワードに関する意味や情報、解説などを表示してくれます。検索も不要で、ページに移動する必要もありません。

　ごく簡単な質問ですが、ChatGPTに「夏目漱石について」と入力しただけで、次ページのように漱石の簡単な紹介から代表作、それに作家としてではなく教育者としての漱石の一面まで、即座に回答してくれました。

　しかし、これでは漱石についてごく簡単な概略はわかりますが、表示してくれた作品以外にどのようなものがあるのか、あるいは漱石の生い立ち、さらに何年に生まれ何年に没したのか、その交友関係や作品の特徴といったこともわかりません。GoogleやYahoo!で検索すれば、作品や経歴などをまとめて表示してはくれませんが、それらを調べられるサイトやページをいくつも示してくれ、関係のありそうなリンク先をクリックすれば、もっと詳細な経歴や作品などを知ることができます。ChatGPTは確かに便利ですが、**検索の代用にはならない**のです。もちろん、後述するプロンプトの指定（質問の仕方）によっては、もっと詳しい内容を回答させることもできますが、ChatGPTのようなテキスト生成AIとGoogleやYahoo!などの検索エンジンとは、使い方もその回答内容も大きく異なり、ChatGPTは検索には向かないと考えておいたほうが無難なのです。

夏目漱石について

夏目漱石（なつめ そうせき）は、日本の小説家であり、明治時代から大正時代にかけて活躍しました。彼は日本の近代文学の先駆者であり、日本文学史上でも重要な存在とされています。

夏目漱石の代表作には『吾輩は猫である』、『坊ちゃん』、『こころ』などがあります。彼の作品は社会や人間の心理を描きながら、風刺や皮肉を織り交ぜた独特の文体で知られています。また、西洋文化の影響を受けながらも、日本独自の文化や思想を取り入れた作品を多く残しました。

夏目漱石はまた、教育者としても活動し、東京帝国大学（現在の東京大学）で教鞭を執りました。彼の教育理念は「人間形成」であり、人間の心や人間関係に重点を置いた教育を提唱しました。

夏目漱石の文学的な才能と教育への貢献は広く評価されており、彼は日本の文学界で重要な存在として尊敬されています。彼の作品は今もなお多くの人々に愛読され、その影響力は現代の日本文学にも続いています。

夏目漱石についてChatGPTに質問してみた

📖 **Memo**

ChatGPTは検索エンジンの代用にはならない

▼企画から事務・経理まで、ChatGPTでラクをする

　ChatGPTはその名の通り、チャット、つまり対話が可能なテキスト生成AIです。先ほどの夏目漱石の回答に続け、「何年に生まれ、何年に没していますか」と会話を続けると、詳しい生没を教えてくれます。

　さらに、「作品は？」「青年時代は？」などと会話を続けることで、さまざまな回答を得ることができます。

　このようにChatGPTでは、**会話を続けることで自分の知りたいことを回答させることができます**。あるいは、書類のひな型を作成させ、これをさまざまな場面で流用してもいいでしょう。会社の書類仕事では、このひな型作りによって書類作成の効率を上げることもできるはずです。

何年に生まれ、何年に没していますか

夏目漱石は1867年（慶応3年）に生まれ、1916年（大正5年）に没しました。

ChatGPTと会話を続けてみた

　新製品や新しいサービスのアイデアを回答させたり、実際に売り出す新製品の広告のためのキャッチコピーを考えてもらったり、長いテキストを要約させたり、メモから経費の精算書を作成したりと、ちょっとした工夫でラクをすることができるでしょう。

　仕事によって、あるいは会社によって、仕事のやり方は異なっています。しかし、文書を作成する場面なら、ChatGPTはきっと役立ち、仕事の効率を上げてくれるはずです。

👆 **Point**

ChatGPTと会話を続けていくことで、望んだ回答を出してくれるようになる

ちょっと難しいChatGPTの話

ChatGPTはウソをつく

　前述のように、ChatGPTには苦手な分野があります。計算が苦手だったり、未来のことを答えてくれたりはしません。

　これらの苦手な分野や答えられないことについても、ChatGPTはそれなりの回答を表示してくれます。しかし、それらの回答の中にはウソが混ざっていることも少なくありません。

　たとえば、「岸田文雄氏について詳しく紹介してください」と質問したところ、1958年生まれで1996年に衆議院議員に初当選し、現総理大臣を務める政治家だと回答しています。

　ところが、ChatGPTでは岸田氏は1958年生まれだと回答していますが、正確には1957年生まれです。ChatGPTでは学習院大学法学部を卒業したとありますが、実際は早稲田大学法学部を卒業しています。総理大臣の説明でさえ、ChatGPTは平気でウソを回答してくるのです。

　ChatGPTのようなテキスト生成AIは、膨大な量のテキストを学習し、

岸田文雄氏について詳しく紹介してください

岸田文雄（きしだ ふみお）は、日本の政治家であり、第100代および第101代内閣総理大臣を務めたことで知られています。以下に岸田文雄氏の詳細を紹介します。

岸田文雄は1958年（昭和33年）7月10日に兵庫県西宮市で生まれました。学習院大学法学部を卒業後、政治家の道に進みました。

岸田文雄氏は、内政や外交においてさまざまな課題に取り組んでいます。国内外の問題に対してリーダーシップを発揮し、日本の将来に向けた施策を推進してい……。

Regenerate response

岸田文雄氏についてChatGPTに聞いてみた

言葉と次に続く言葉の確率によって文章を組み立て、人間が書いたような自然な文章を作成しているのであって、組み立てた文章の中身そのものが正しいかどうかは判断していません。その結果、平気でウソを回答してくるのです。

　学校の宿題やレポートで、ChatGPTの回答をそのままコピー＆ペーストすれば、こんなウソ混じりの回答では赤点を取ったり落第したりしてしまいます。

⛔注意‼
ChatGPTは組み立てた文章の中身そのものが正しいかどうかは判断していない

▼生成AIの危険性も認識しておこう

　回答にウソが混じっているだけではありません。ChatGPTの事前学習には、インターネットだけでなくさまざまな文献なども利用されています。

　ChatGPTの回答には、これらのネットや文献で学習したものから生成されるため、場合によっては他人の文章をそのまま回答に利用することもあり得ます。つまり、ChatGPTの回答の中には**著作権を侵害するような回答が含まれる可能性もある**のです。

　回答のどの部分がどの文献から引用されたものなのかといった情報は、ChatGPTの回答には記述されていません。創作やレポート、報告書などでChatGPTを利用する場合は、この点を十分に理解した上で、ChatGPTの回答をもう一度吟味し、著作権を侵害していないか確認することも必要なのです。

⛔注意‼
ChatGPTの回答に著作権を侵害するものが含まれていないか確認が必要

　逆に**ChatGPTへの質問には、個人情報や機密情報といったものは入力しないよう注意する必要があります**。というのも、ChatGPTではユーザーが入力したテキストを、AIの学習に利用しているからです。設定によって、データを利用しないよう変更することもできますが、初期設定ではAIの学習に利用するようになっています。

⚠ 注意 ‼

ChatGPTへの質問には個人情報や機密情報は入力しない

　さらにChatGPTのようなテキスト生成AIが普及していくと、生成されるテキストの正確度が低くなっていくのではないか、といった懸念もあります。テキスト生成AIは、現状では平気でウソをつきますが、そのウソを交えたテキストがネット内に氾濫すると、それらを学習したAIがさらにウソの回答を作り出すという、無限ループに陥っていくと考えられているのです。

　ウソを撒き散らすだけでも脅威ですが、悪意のある人によってテキスト生成AIが利用されると、もっと深刻な事態も想定されます。たとえば、コンピュータウイルスの作成などです。

　既にテキスト生成AIを利用して、コンピュータウイルスが作成された例もあります。ChatGPTを使ってみるとわかりますが、プログラミングの知識が乏しいユーザーでも、ちゃんと動作するプログラムが簡単に作成できてしまいます。悪意のある人が、こうしてウイルスを作成してあちこちにばら撒けば、インターネットは安全な場所ではなくなってしまいます。

　また、詐欺メールや迷惑メールも、テキスト生成AIを利用して簡単に作成できてしまいます。巧妙な詐欺メールが出回る危険もあります。

　AIの出現で、人間の雇用が奪われるといった問題もありますが、それ以上に、AI技術の進歩は社会と人類に深刻なリスクをもたらす危険性もあるのです。これらの生成AIの危険性を理解して、仕事を効率化し、生活を豊かにするために、ChatGPTをうまく活用したいものです。

Chapter 2

ChatGPT入門

GPT

ChatGPTを使ってみよう

設定方法を確認する

　ChatGPTは、米オープンAI社（Open AI社）が2022年11月に公開したサービスです。このサービスはインターネットのWebページを閲覧するブラウザで、誰でも利用することができます。2023年5月にはiOS向けアプリ、7月にはAndroid向けアプリが、それぞれ配布され、スマホやタブレットなどでも利用できるようになりました。

　ブラウザで利用するため、ChatGPTを使うにはパソコンのブラウザを起動し、オープンAI社が公開しているChatGPTのページにアクセスすることになります。

　ChatGPTのサイト（https://openai.com/blog/chatgpt）にアクセスしてページを開くと、「Introducing ChatGPT」と書かれたページが表示されるので、ページ右上の「Log in」または「Sign up」をクリックします。「Log in」をクリックするとログインページに移動し、「Sign up」をクリックするとアカウント作成ページに移動します。

　ChatGPTを利用するためには、アカウントが必要になりますが、このアカウントを作成したいときは「Sign up」をクリックしてメールアドレスを入力し、ChatGPT用のアカウントを新しく作成します。

　ただし、ChatGPTはGoogleやマイクロソフト、アップルのいずれかのアカウントでも利用できます。どのアカウントを使用しても使える機能はまったく同じです。既にGoogleやマイクロソフト、アップルのいずれかのアカウントがあれば、「Log in」をクリックして使用したいアカウントでログインしても構いません。

　ログインすると、最初に利用するサービスを指定する画面に変わります。選択できるのは次のいずれかです。

- ChatGPT：ChatGPTのサービス
- DALL·E：Open AI社が提供する画像生成AIサービス
- API：ChatGPTのAPI

テキスト生成AIであるChatGPTを利用するには、「ChatGPT」を選択します。するといくつか説明が書かれたダイアログボックスが現れ、やがてChatGPTのチャット画面に変わります。

1 「Log in」または「Sign up」をクリックする

2 「Sign up」をクリックするとChatGPTのアカウント作成画面に変わるので、メールアドレスを入力し（①）、「Continue」をクリックする（②）

「Log in」をクリックすると、既に作成したChatGPTのアカウントか、Googleアカウント、マイクロソフトアカウント、Apple IDのいずれかを指定してログインできる

3 パスワードを入力し、「Continue」をクリックする

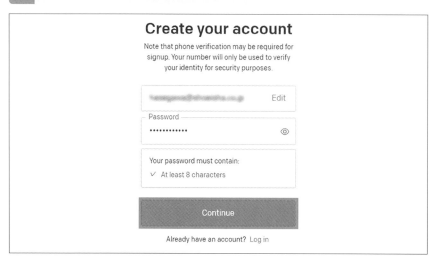

4 メールアドレスの確認画面になるので、「Open Gmail」をクリックする
（Gmail以外のメールソフトの場合はそちらで確認する）

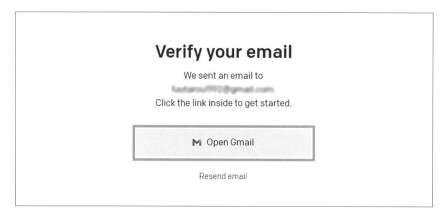

5　確認メールが届くので、「Verify email address」をクリックする

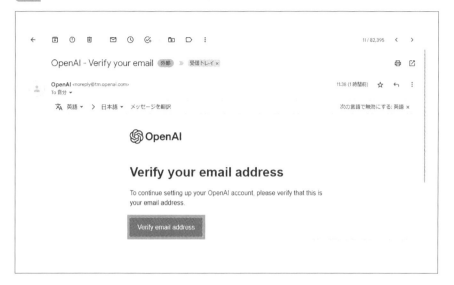

6　氏名、生年月日などを入力し（①）、「Continue」をクリックする（②）

7 電話番号を入力し（①）、「Send code」をクリックする（②）

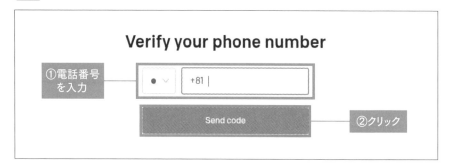

8 SMSに届いたコードを入力する

！注意!!

送られてきたコードを入力
する必要があるので、スマ
ホなどの電話番号を入力す
る必要がある

9 利用するサービスの選択画面に変わるので、「ChatGPT」を選択する

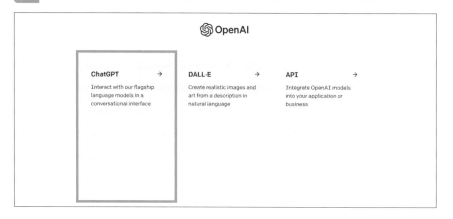

10 ChatGPTのチャット画面が表示される

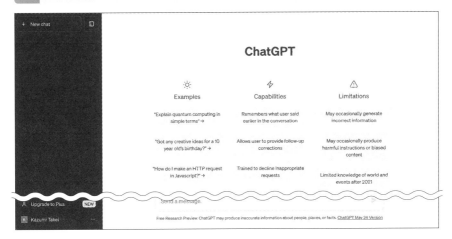

▼ChatGPTの画面構成

ChatGPTの画面構成は次の通りです。

項　目	内　容
①新チャットの追加	新しいチャットを始める
②サイドバー切り替えボタン	サイドバーの表示／非表示の切り替え
③チャット履歴	これまでのチャットの履歴
④アップグレードメニュー	現在のプランと有料プランへのアップグレードメニュー
⑤ユーザー名	現在のユーザー名
⑥チャット内容	ユーザーのプロンプトとChatGPTの回答
⑦メモ帳	回答をコピーする
⑧メッセージ	ユーザーの質問やメッセージを入力する

▼プライバシー設定を確認しておこう

　実際にChatGPTを利用する前に、ChatGPTのいくつかの設定を確認・変更しておきましょう。これらの設定は、左下のアカウント名の右端にある「...」をクリックし、現れたメニューから設定します。

1　ChatGPTの設定メニューから「Settings」をクリックする

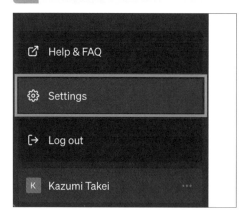

2 ダイアログボックスが表示される

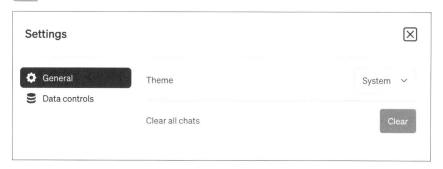

「Settings」メニューをクリックするとダイアログボックスが現れます。
ここでは、次のような設定・変更を行うことができます。

- General：ChatGPT画面のテーマの設定が変更できます。パソコンの
  システムの設定に従うか、ダークモード、ライトモードのいずれかに
  変更できます。
- Data controls：ChatGPTで入力したデータの取り扱いを設定します。
  次の項目が設定・変更できます。
  ▶Chat history & training……チャットで入力したデータや履歴を、
  ChatGPTの学習に利用するかどうかの設定。デフォルトでは利用
  されるよう設定されていますが、不安ならクリックしてグレーにな
  るよう変更し、記録やトレーニングへの利用を無効に設定するとい
  いでしょう。
  ▶Shared links……ChatGPTとのチャットは、別のサイトやSNSなど
  で共有できますが、共有したデータを管理します。「Manage」をク
  リックすると、これまで共有したチャットの一覧が表示され、不要
  なものを削除したり、どのチャットを共有したか確認したりできま
  す。
  ▶Export data……チャットのデータを出力します。「Export」ボタン

をクリックすると、出力のためのダイアログボックスが表示され、「Confirm export」ボタンをクリックすればログイン中のアカウント宛てにメールが送信されます。受信したメール内に記入されているリンクをクリックすると、すべてのチャットデータが一括でダウンロードできます。

▶Delete account……ChatGPTのアカウントを削除します。

　ChatGPTでは、ユーザーが入力した質問やデータなどは、ChatGPTの学習用に利用されるようになっています。ChatGPTはインターネット内だけでなく、文献や資料などさまざまなデータを取り込んで学習し、日々賢くなっていきますが、この学習するデータとしてユーザーが入力したものも利用されるわけです。

　入力するデータの中には、個人的な情報やプライバシーに関わること、あるいは部外秘のことなどもあるでしょう。これらのデータを入力しないよう、ChatGPTを利用するときは十分に注意したいものですが、それでは最適な回答が得られないこともあります。

　そんなときはChatGPTの設定画面で、「Chat history & training」の項目をクリックしてグレー表示にし、入力したデータを学習に利用しないように変更しておきます。自分や自社のプライバシーを守るためにも、心配なら**必ず事前に「Chat history & training」項目は無効に変更しておきましょう。**

👆 Point

最適な回答を得るために重要な情報を入力する必要があるときには、「Chat history & training」をグレー表示にして、ChatGPTの学習に利用できないようにする

質問してみよう

質問の仕方によって回答が大きく異なる

　設定を確認・変更したら、いよいよ実際にChatGPTを利用してみましょう。ChatGPTはAIチャットボットですから、質問を入力してコンピュータに伝えると、その質問に対する回答がコンピュータから返ってきます。これがChatGPTの基本的な操作法です。

　GoogleやYahoo!などで検索するときと同じように、ChatGPTの右側画面の下にある「Send a message」と書かれているボックスに、知りたいことのキーワードなどを入力し、ボックスの右端の矢印をクリックします。矢印をクリックする代わりに、キーボードのEnterキーを押しても構いません。すると質問に対する回答が表示されます。次の画面は、「夏目漱石」と入力してみた結果です。

　　夏目漱石

　　夏目漱石（なつめ そうせき）は、日本の近代文学を代表する作家であり、明治時代から大正時代にかけて活躍しました。以下に夏目漱石について詳しく紹介します。

　　夏目漱石は1867年（慶応3年）2月9日に東京府（現在の東京都）に生まれました。本名は夏目金之助（きんのすけ）であり、後に夏目漱石というペンネームを用いるようになりました。

　　夏目漱石は、その作品においてリアリティと人間の内面の葛藤を描き出す独特の文体を用い、文学的な革新を試みました。また、西洋文化や哲学、心理学の影響を受けながら、日本の伝統文化や風習とも融合させた作風が特徴的です。

「夏目漱石」と入力してみた。ChatGPTは夏目漱石に関する概要を回答してくれた

　キーワードを入力するのは、Googleなどの検索エンジンで検索するのと変わりません。ChatGPTからの回答と、検索エンジンで検索したときに

返ってくる結果とはもちろん異なっていますが、操作そのものはほとんど同じようなものだと思っていいでしょう。

　ただし、ChatGPTはテキスト生成AIですから、どのようなテキスト、つまり**どのような文章を生成させるかを、もっと具体的に指定したほうが、より欲しい回答に近いものが得られます。**

　たとえば、「夏目漱石」と指定する代わりに、「夏目漱石の代表作とその概要を教えてください」と指定したらどうでしょう。実際に指定してみたのが次の画面です。

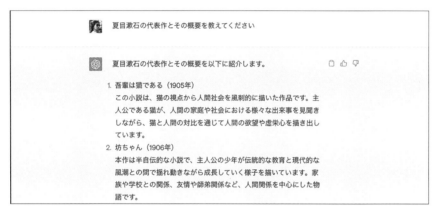

「夏目漱石の代表作とその概要を教えてください」と指定してみた

　単に「夏目漱石」とキーワードを指定したときと、大きく異なる回答が得られたのがわかるでしょう。質問が具体的であればあるほど、ChatGPTの回答もより具体的で正確なものになるのです。

　ChatGPTはチャットですから、「○○について教えてください」とか、「××してください」といった指定が多くなります。また、それがChatGPTで指定するときのコツのひとつでもあります。何か知りたいことや、やってほしいことを先生や友だちにお願いするように、ChatGPTに指定します。これがChatGPTの使い方の基本です。

📖 **Memo**

具体的に質問すればするほど、欲しい回答が得られる確率が高くなる

▼チャットを続けてみよう

再三記すように、ChatGPTはチャットボットです。チャットは、おしゃべりや雑談などと訳される英語ですが、ChatGPTもおしゃべりや雑談が基本になります。つまり、教えてほしいことを一度質問するだけでなく、ChatGPTの回答をもとにさらにおしゃべりを続け、本当に求めている回答を作成させることができるのです。

実際にやってみましょう。先ほどの「夏目漱石」の回答が表示されている状態で、回答された作品のあらすじを聞いてみました。

下のようにChatGPTから『坊っちゃん』のあらすじが回答されました。ある程度ボリュームもあり、中高生の読書感想文でも使えそうです。ただ、そういえば『坊っちゃん』の主人公の名前がChatGPTの回答のどこにも出てきませんでした。

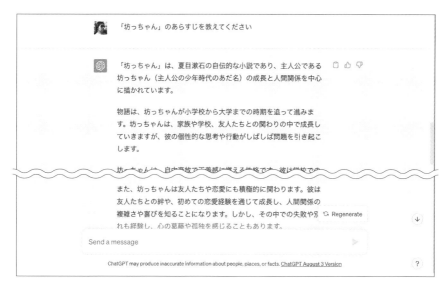

『坊っちゃん』のあらすじを質問してみた

そこで今度は「坊っちゃんの主人公の名前を教えてください」と指定してみました。するとChatGPTは、主人公の名前は「山崎豊子です」と回答してきました。山崎豊子は『華麗なる一族』や『沈まぬ太陽』『白い巨塔』といった社会問題を扱った女性作家です。ChatGPTが平気でウソをつく、というのが本当だとおわかりでしょう。

『坊っちゃん』の主人公の名前を尋ねてみた

　では、「夏目漱石の小説『坊っちゃん』の主人公の名前を教えてください」ともう少し具体的に質問してみると、次のように回答しました。

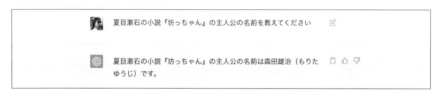

具体的に質問するも、やはりウソ回答だった

　ChatGPTは、『坊っちゃん』の主人公の名前は「森田雄治」だと回答してきました。それっぽい名前です。『坊っちゃん』を読んだことのない人や、読んだけれど内容などすっかり忘れてしまった、といった人なら信じてしまいそうです。が、ここでもChatGPTは平気でウソをついています。
　実は漱石の『坊っちゃん』は、「おれ」や「わたし」といった一人称で書かれており、最後まで主人公の名前は出てこないのです。そのことを知っていないと、ChatGPTに簡単にだまされてしまいます。
　しかし、こうして友人などと会話をするように、回答の内容によってChatGPTと会話（チャット）を行う方法がおわかりでしょう。ChatGPTではどのような質問や要望を出すのか、その質問の仕方によってChatGPT

の回答が大きく異なってきます。この質問、あるいは指示を「プロンプト」
と呼んでおり、**生成AIを利用するときどのようにプロンプトを出すのか**
が最も重要になるものなのです。

新しいチャットと履歴の削除

複数のテーマや話題でチャットを行う

　ChatGPTと会話を始めると、何度か質問・要望と回答をやり取りすることで、求めていた回答が得られるようになります。

　実はChatGPTでは、入力した質問や要望に回答を返してくれますが、**そのまま続けて新しい質問や要望を指定すると、チャットのやり取りを覚えていて、その会話の流れに沿った回答を返してくれるようになっています。**

　たとえば、これまでの会話の流れから、「主人公以外にどのような登場人物がいますか」と聞いてみました。

　こちらの質問が、会話とは無関係なものだとすれば、この質問ではChatGPTは答えられないか、またはまったく別の作品の登場人物を回答したりするはずです。ところがChatGPTでは、それまでのチャットの内容を覚えているため、こちらの曖昧な質問にも正しく『坊っちゃん』の登

```
        主人公以外にどのような登場人物がいますか

        『坊っちゃん』には主人公以外にもさまざまな登場人物がいます。    □ 👍 👎
        以下にいくつかの登場人物を挙げます。

        ・寺子屋の先生：主人公が通う寺子屋で教える先生です。
        ・同級生：主人公と同じクラスや学校に通う子供たちです。
        ・先輩生徒：主人公の先輩で、彼にとって憧れの存在となる学生たち
          です。
        ・家族：主人公の父や母、兄弟姉妹などが登場します。
        ・教師たち：学校の教師や寺子屋の先生たちです。
        ・町の人々：主人公が暮らす町の人々や隣近所の人々が登場します。

        これらの登場人物たちは主人公の成長や人間関係の中で重要な役割
        を果たしています。
```

『坊っちゃん』の登場人物を回答してくれた

場人物の名前を答えてくれます。

　このようにChatGPTでは、**1つのチャットの中で質問と回答を繰り返しながら、ユーザーが求めている回答に近いものを導き出せるようになっている**のです。

📖 Memo

ChatGPTの回答が間違っていたときには、「それは間違っています」と指摘したり、正しい答えを教えてあげたりすると、それらをデータとして学び、次の回答に役立ててくれる

▼新しいチャットを始めてみよう

　ChatGPTを利用するとき、いつも同じチャットで同じ話題を続けるわけではありません。複数のテーマや話題でチャットを行えるのも、ChatGPTのメリットですが、そのためにはチャットを変更する必要があります。

　チャットを切り替えるには、画面左側のチャット一覧で、上部の「New chat」をクリックします。すると画面右側のチャット画面が新しいものに切り替わります。

　これまで利用していたチャットは、左側の一覧に追加されています。特に名前を付けていないときは、チャットをスタートしたときの最初の記述やその内容などがチャット名として付けられています。

「New chat」をクリックすると、ChatGPTを始めたときと同じように「ChatGPT」と書かれた画面に切り替わります。この画面下部の「Send a message」と書かれたボックスに、質問や要望、ChatGPTにやってほしいことなどを入力して矢印をクリックすれば、新しいチャットが始まります。

　前述のように、ChatGPTはユーザーが入力したテキストを学習し、それをもとに回答を作成します。ただし、すべての入力を学習したり、覚えていたりするわけではなく、以前に入力したテキストを学習しなかったり、忘れてしまったりすることもあるようです。

そのため、後で同じテーマでチャットを行う可能性があれば、そのチャットは残しておき、「New chat」をクリックして新しいチャットを始めたほうがいいでしょう。

1 チャット一覧で「New chat」をクリックする

2 「Send a message」に質問などを入力し（①）、「▶」をクリックする（②）

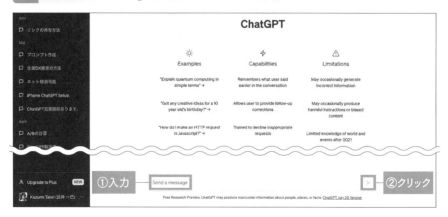

▼チャット履歴の整理と削除

　画面左側のサイドバーにあるチャット名の右側には、2つのアイコンが並んでいます。次のものです。

- ✎：チャット名を編集します。このアイコンをクリックすると、チャット名を入力するボックスが表示され、チャット名を編集できます。わかりやすい名前に書き換えておくと、後から利用するときに便利です。

- 🗑：選択しているチャットを削除します。このアイコンをクリックすると、「Delete chat」ダイアログボックスが現れ、「Delete」ボタンをクリックするとチャットが削除されます。

　これがChatGPTの基本的な使い方です。特に難しい操作などはありません。ChatGPTにサインアップまたはログインし、メッセージを入力して「→」または「Enter」キーを押すだけです。

　これだけでAIを利用したテキストが生成できるのです。実際に利用してみると、生成されたテキストにはウソが混じっていたり、おかしな点があったりします。

　しかし、それ以上に便利な点がたくさんあります。それまで知らなかった分野でも、少し質問してみるだけでプロの回答が得られるのです。会話を続けていれば、新しいアイデアを得ることもできるでしょう。AIを使ったブレインストーミングだって可能なのです。

　ChatGPTをうまく使いこなせば、これまでの仕事を効率化することもできるはずです。

質問の仕方を変えてみよう

思い通りの回答を導き出すテクニック

　ChatGPTを使っても、想像していたような回答が得られないケースも少なくありません。人工知能とはいっても、ChatGPTのようなテキスト生成AIは、事前に学習した言語を使い、ユーザーの質問や指定にマッチするような文章を、語句の出現する確率によって作り出しているにすぎないからです。

　そこで最も重要になるのは、**どのような指示を与えるか**という点です。指示を与えること、または指示そのものを、プロンプトと呼んでいますが、ChatGPTでは**トライアンドエラーを繰り返しながらさまざまなプロンプトを指定し、求める回答が得られるよう調整していく作業**も必要なのです。

　生成AIの出現によって、「プロンプト・エンジニアリング」という新しい研究が出始め、「プロンプト・エンジニア」という新しい職種さえ生まれようとしています。

　それだけプロンプトをどのように指定するかというのは専門的で、奥が深いのです。

　プロンプトの初心者なら、どのように指定すればいいのか、さまざまに試行錯誤してみることが必要です。その試行錯誤によって、プロンプトをどう指定すればどのような回答が得られるのかがわかってくるでしょう。

　例として、顧客に送る挨拶状を作らせてみましょう。次のように指定してみました。

顧客への挨拶状を考えてください。

親愛なるお客様へ

私たちの店舗をご利用いただき、誠にありがとうございます。この度は、皆様にお礼を申し上げたく、心からの挨拶を差し上げます。

お客様が私たちの一番の原動力であり、存在意義であることを深く感じております。日々の営業活動において、私たちはお客様の満足度向上を追求し、より良いサービスを提供することに全力を尽くしております。

（中略）

また、私たちはお客様との信頼関係を大切にしています。お買い物やサービスの提供において、公平かつ誠実な態度を持ち、お客様の期待に応えることを心がけています。私たちのチームは、お客様の幸せと満足感を追求し、より良い未来を共に築いていくことを誓っております。

最後に、私たちの店舗をご愛顧いただき、誠にありがとうございます。お客様とのつながりを大切にし、より良い商品とサービスの提供に努めてまいります。今後ともご支援いただけますよう、心よりお願い申し上げます。

どうぞ素敵な日々をお過ごしください。

敬具

〇〇店舗スタッフ一同

例では、店舗の顧客に対して、日頃のお礼を伝えるための挨拶状になっていました。

　この文面で構わないというユーザーもいるでしょう。実際に何らかの店舗を運営しているなら、参考になる文言も少なくないでしょう。

　ところが、店舗ではなく保険の外交だったとしたらどうでしょう。これではほとんど参考になりません。そこで、次のように自分の立場の説明を入れて指定してみます。

 私たちは生命保険の外交員です。顧客への挨拶状を考えてください。

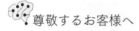尊敬するお客様へ

　私たちの生命保険チームへようこそ！この機会に、心からの挨拶を差し上げます。

　私たちは、お客様の人生と将来に貢献することを使命としています。生命保険は、予期せぬ出来事や将来の不確定要素に備えるための重要なツールです。私たちの目標は、お客様が安心して生活を送り、大切な人々を守るための適切な保険プランを提供することです。
（以下略）

　表示された回答は、生命保険に関する文言も入っており、生命保険会社ならより利用しやすい文面になっていました。

　ただし、やはり内容そのものはどこにでもありそうな文面です。そこで今度は、営業地域を限定し、さらに季節感を漂わせるような回答を得られるよう、次のように地域と季節も入れて指定してみました。

 私たちは新宿区で営業している生命保険の外交員です。8月に顧客へ出す挨拶状の文面を考えてください。

尊敬する新宿区の皆様へ

私たちの生命保険チームへようこそ！この夏の季節に、心からの挨拶をお送りします。

まずはじめに、私たちのチームが新宿区で営業していることを誇りに思っています。この地域で多くの方々とお会いし、お力になれることに喜びを感じております。私たちの目標は、お客様が安心して生活を送り、大切な人々を守るための最適な保険プランを提供することです。
（中略）
私たちのサービスは、単なる契約の取引以上のものです。私たちはお客様との信頼関係を大切にし、お客様の将来の安心と幸福を追求するパートナーとして在りたいと考えています。私たちのチームは、お客様のご要望やライフスタイルの変化に敏感に対応し、保険プランの見直しやカスタマイズなど、お客様に合った最適なサポートを提供いたします。

最後に、新宿区の皆様に心から感謝の意を表します。私たちのチームを選んでいただき、お客様の人生の節目における安心感を提供できることに光栄に思っております。今後も変わらぬご支援をいただけますよう、心よりお願い申し上げます。

熱い夏をお過ごしください。

敬具

〇〇生命保険チーム

プロンプトは長くなりましたが、回答はだいぶ実用的なものになってきました。この回答なら、少し手直しすれば利用できる、と感じた人も少なくないのではないでしょうか。

　もちろん、実際に指定するときは、自分の会社や地域、立場、それに季節などを変更したもので指定する必要がありますが、プロンプトのそれらの部分を書き直すのは簡単です。

　指定するプロンプトが長めで、これを考えるだけで時間を使いそうですが、この挨拶状を何もない状態から書き出すとすれば、プロンプトを考える時間よりもずっと手間がかかるはずです。プロンプトさえ考えれば、挨拶文そのものはほんの2、3秒で表示されます。あとは自分の状況に合わせて、少し手直しするだけ。ChatGPTを利用すると仕事が効率化できると記してきたのが、これで実感できるはずです。

▼長い回答を要約する

　最初はA4用紙1枚程度で挨拶文を作ろうとしたが、イベントの案内も入れたいからA4半分くらいに縮めたいといったケースもあるでしょう。文章を縮めるのは、文章を引き伸ばすよりも大変な作業です。

　こんなときは、ひと言、「要約してください」と指定すればよいだけです。あるいは、それでうまくいかないときは、「600字で要約してください」などと生成される文字数を指定しても構いません。

600字で要約してください。

新宿区の皆様へ

　私たちの生命保険チームからの夏の挨拶です。新宿区で営業している私たちは、お客様の安心と保護を提供するために努力しています。私たちの目標は、お客様一人ひとりに合った最適な保険プランをご提案

! 注意 !!

残念ながら生成する文字数を指定しても、ChatGPTは正しく文字数を守ってくれない。特に短過ぎる文字数や、逆に長過ぎる文字数を指定したとき、ChatGPTはうまく指定した文字数に収まるよう、テキストを生成してくれない

📖 Memo

ChatGPTが指定した文字数を守ってくれないときには、「500字から800字の範囲で」「1000字以下で」といった指定で、何度かテキストを生成させてみるとよい

▼別の回答を作成する

　長い回答を要約したとき、思っていたのと違う回答が返ってくることもあります。あるいは、プロンプトを指定してテキストを作成させたとき、やはり想像していたのとは異なる文章が表示されることもあるでしょう。

　こんなときは回答に続けてプロンプトを追加したり、あるいは最初からプロンプトを変更してテキストを生成させてみたりするのもひとつの手ですが、もっと簡単な方法があります。クリック1回で、別の回答を作成させられるのです。

　回答が表示されると、その右下に「Regenerate」というボタンが表示されています。「回答を再度生成する」という意味のボタンです。このボタンをクリックすると、直前に生成された回答が消え、改めて新しい回答が表示されます。

　新しく生成された回答には、先頭に「2/2」といった数字が表示されています。この場合は、指定したプロンプトで回答を2回生成したうちの2番目の回答、という意味です。そのすぐ左に「<」という記号が表示されているので、これをクリックしてみましょう。すると「1/2」に切り替わり、生成された回答の1番目の回答が表示されます。ChatGPTでは同じプロンプトのまま、いくつもの回答を生成させることができるのです。

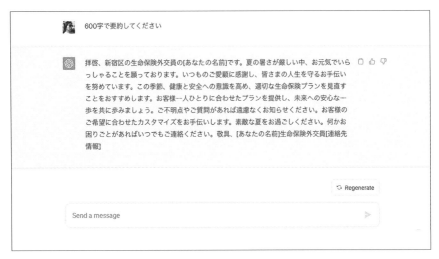

回答後に「Regenerate」ボタンをクリックすると新しい回答が生成される

　このようにして生成された回答の中から、一番求めていた回答に近いものを選択すればいいのです。

　なお、ChatGPTで生成された回答は、回答の先頭行の右端にあるクリップボードアイコンをクリックすれば、パソコンのクリップボードにコピーされます。そのままワープロソフトやエディタソフトなどに貼り付ければ、生成された回答を簡単に別のアプリなどで利用できます。

▼プロンプトには文字数制限がある

　長い文章が生成されて回答が表示されたとき、回答がすべて出力されていなかったり、途中で途切れてしまったりすることがあります。

　ChatGPTではユーザーが入力できる文字数や、ChatGPTが回答してく

れるテキストの文字数に、それぞれ制限があります。この文字数制限には、ユーザーが入力する文字数制限と、ChatGPTが生成する回答の文字数制限の2つがあります。

　まず、ChatGPTでユーザーが一度に入力できる文字数は、4069トークンまでという制限があります。プロンプトでは4069トークンまでしか入力できない、というわけです。

　トークン（token）とは「印、証拠」などと訳される言葉で、暗号資産などで使用されている言葉です。プログラミングなどでも用いられる用語で、変数名や予約語、演算子といったものがトークンに該当します。プログラミング上で意味を持つ、最小単位の文字の並びのことを指しています。

　ChatGPTのトークンというのは、テキストデータを分割するときの最小単位のことです。英語の場合は、1単語が1トークンとされることが多いのですが、日本語の場合は平仮名なら1文字が1トークン、漢字は1文字が2トークンとされているようです。ただし、これは概算のため、正確に1文字が1トークンと計算されているわけではありません。

　ユーザーがプロンプトで入力した質問や要望、指示といったものは、ChatGPTでは4069トークンまでという制限があります。1回の指定で4069トークン、1文字1トークンだとすれば、約4,069文字まで指定できると考えられます。4,000字だったらかなり長いテキストで指定できると思うかもしれませんが、プロンプトによってはそれでも足りないことがあります。

　後述しますが、たとえば長い文章を読み込ませ、要約するように指定したいとき、ChatGPTは手軽に要約させられますが、読み込ますことのできる文字数は4,000文字程度です。ユーザーによっては、これでは少な過ぎるケースもあるでしょう。

　もう1つの制限は、ChatGPTが生成するテキストも4069トークンまでという制限です。

　何かの指示を与えると、ChatGPTは指示に従ってテキストを生成し、回答してくれます。この回答文の長さが4069トークンまでとなっている

のです。ですから「5,000文字以上で生成してください」などと指定しても、ChatGPTはテキストを作ってくれないことになります。

> ### 📖 Memo
>
> プロンプトに入力したテキストのトークン数は、OpenAI社のサイトにあるのTokenizerページ（https://platform.openai.com/tokenizer）で確認できる。このページにアクセスし、「Enter some text」と書かれたボックスにプロンプトを入力すると、消費されるトークンの数が表示される
>
> Tokenizerページで、指定するプロンプトのトークンを調べられる

▼回答が途中で途切れたときは？

　ちょっと長いテキストを生成させると、ChatGPTの回答画面に表示しきれないことがあります。これはたいていの場合、トークン制限に引っかかっているのではなく、単にテキスト生成や表示が間に合わず、止まってしまうこともあります。

　こんなときは、回答の下に「Continue generating」というボタンが表示されているので、これをクリックすれば続きが表示されます。

　あるいは、下部の「Send a message」欄に「続けて」「続きは」「次」な

どと入力してEnterキーを押せば、回答の続きを表示してくれます。

ルギー源を使用しています。しかし、バッテリーの製造や電力の発電段階でもエネルギー
が必要であり、その点にも注意が必要です。エネルギー源の再生可能性やクリーンな発電方
法の利用が、電気自動車の環境への影響を最小限に抑える鍵となります。

まとめ

電気自動車の動作原理は、高性能なバッテリーから供給される電気エネルギーを、電動モ
ーターを通じて機械的なエネルギーに変換し、車を駆動するプロセスに基づいています。
これにより、環境への負荷

⊗ Continue generating

Send a message

ChatGPT may produce inaccurate information about people, places, or facts. ChatGPT August 3 Version ?

生成されたテキストが長いとき、途中で止まってしまうこともある。「Continue generating」
をクリックすれば、テキスト生成が再開される

📖 Memo

回答の続きを表示させていくと、生成されるテキストが指示したプロンプ
トとは微妙に意味や文脈がズレていくこともある。内容や意味が別の方向
に進んでしまい、指示したこととズレていくときには、「上の文章を参照
して、○○の続きを出力してください」などと指定すると、ズレていた文
脈が修正されて出力されていくこともある。生成されるテキストが長かっ
たり、複雑な作業を行っていたりするときなどにズレが生じることがある
が、こんなときはプロンプトを簡略化したり、生成されたテキストを参照
するように指定したりすると、うまく指示に沿ったテキストが生成されや
すくなる

英文を翻訳させてみよう

日本語よりも英語のほうが正解に近い回答が得られる

　ChatGPTが事前に学習する内容は、インターネットで公表されているテキストや、専門的な資料、データなどさまざまですが、その多くは英語で書かれたものです。

　もちろん、英語以外の言語のデータも学習されており、日本語でプロンプトを指定して、日本語のテキストを生成させることもできます。

　プロンプトや生成されるテキストに4069トークンまでという制限がありましたが、日本語ならおおむね平仮名１文字が１トークン、漢字１文字が２トークンとなっています。一方、英語では１単語が１トークン（厳密には大文字などが含まれているかどうかでも、トークンの計算方法が異なります）となっています。

　たとえば、プロンプトに「アメリカ合衆国の州名をすべて書き出してください」と指定すると、日本語なら32トークンになります。これを英語で「Write down all the states of the United States」と指定すれば、わずか9トークンで済みます。

　ChatGPTの場合、**日本語よりも英語のほうが若干ですが有利**なのです。学習している言語のデータも、日本語よりも英語のほうが何倍も多いはずですから、生成される回答も英語のほうがより正解に近いと予想されます。

　英語や日本語、それにフランス語やドイツ語、中国語など、ChatGPTはさまざまな言語で利用できますが、逆にいえばこれらの言語間の翻訳も、簡単に行えることになります。

　たとえば、ある日の『Newsweek』紙の英語ニュースを、ChatGPTで日本語に訳してもらいます。

BQ　次の英文を日本語に訳してください
　　On June 5, the Comedy Cellar posted a clip from a show I had done in which I depicted Malaysia as the ex who broke up with Singapore—the country I grew up in—and Singapore was now having a "glow-up".

The clip was performing very well, but when I posted the same one on my social media on Tuesday morning, things started to take a nasty turn.

I first saw someone sharing my clip in an Instagram story—the words were in Malay which I didn't understand, but ended with a "wow!" Funnily enough, thinking it was a compliment, I reposted the story. However as negative story shares and comments rapidly piled up, I soon realized that "wow!" had not been meant as a compliment.

6月5日、コメディ・セラーは私が出演したショーのクリップを投稿しました。その中で、私はマレーシアをシンガポールと別れた元カレとして描いており、シンガポールは今や「グローアップ」しているという内容でした。

そのクリップは非常に好評でしたが、火曜日の朝に私が同じものを自分のソーシャルメディアに投稿したところ、事態が悪化し始めました。

最初に私はInstagramのストーリーで誰かが私のクリップを共有しているのを見ました。言葉は〜〜〜等できませんでしたが、「ワオ！」で終わ〜〜〜〜〜〜〜〜〜に、それを褒め言

↻ Regenerate response

英文ニュースを日本語に翻訳させてみた

　プロンプトには、「次の英文を日本語に訳してください」と入力し、英文のニュース記事を貼り付けてみました。

　貼り付けた英文ニュースが、上のようにほんの２、３秒で日本語に翻訳されて表示されました。続けて、「この翻訳文の要約を、300字で表示してください」と指定すると、ニュースの要約が300字前後で表示されました。

　Google翻訳などを利用すれば、英文ニュースを日本語に翻訳することなど簡単に行えますが、翻訳させたニュースを短い文字数で要約させることまではできません。

　ChatGPTを利用すれば、こんなことも簡単にできてしまうのです。企業や仕事によっては、英文ニュースや中国語のニュース記事に目を通す必要がある人も少なくないでしょう。語学が堪能ならいいのですが、英語や中国語が苦手な人なら、短いニュース記事を翻訳してその概要を知るだけ

でも、1時間あるいは分量によっては2、3時間もかかってしまうことがあります。そんな作業も、ChatGPTをうまく利用すれば、ほんの10分ほどでニュースの概要がわかってしまうのです。仕事に必要な作業なら、仕事そのものが大いに効率化することになります。

　もちろん、英語や中国語を日本語に翻訳するだけでなく、逆に日本語の文章を英語や中国語に翻訳させることもできます。海外との取引がある部署なら、外国語でメールや手紙を書く必要もあるでしょう。

　そんな作業も、ChatGPTに任せてしまえば、効率よく仕事をこなすことが可能になってきます。ChatGPTは使い方次第で、仕事の効率化を促進する便利なツールになるのです。

Chapter 3

欲しい回答を生み出す 超テクニック

GPT

「あなたは○○のプロです」

役割を指定すると望んだ回答が得られやすい

　ChatGPTの概要や基本的な使い方がわかったら、早速利用してみましょう。

　テキスト生成AIであるChatGPTで、ユーザーが望むテキストを生成させるためには、プロンプトが重要だと述べました。プロンプトは、ChatGPTにどのようなテキストを生成させるかを指定する命令です。命令、指示、要望などいろいろな意味がありますが、このプロンプトの指定によって、ChatGPTが生成するテキストに違いが出てきますから、どう指定すればいいか試行錯誤してください。

　一般的にプロンプトには、「○○をしてください」といった形で操作や生成するテキストの内容を指定します。ただし、生成されるテキストの精度を高めたいときは、このプロンプトで

「あなたは○○のプロです。××してください」

　と指定するといいでしょう。たとえば、中学や高校で数学の質問があるときには、社会科の先生に質問するより数学の先生に質問したほうが、より正確な答えが得られるのは考えるまでもないでしょう。

　ChatGPTもまったく同じです。ChatGPTは事前に膨大なデータを学習していますが、これらの学習をもとに生成するテキストも、プロの相手から引き出したほうがより求める回答が得られやすいのです。

　たとえば、建築業界のマーケティングを行いたいとき、プロンプトで次のように指定したらどうでしょう。

最近の戸建ての流行を教えてください

最近の戸建て住宅の流行には、以下のようなトレンドがあります。

1. エコフレンドリーな設計：環境への配慮が重視されており、省エ
ネルギー設備や再生可能エネルギーの活用、断熱性能の向上など
が取り入れられています。太陽光発電やグリーンウォールなど、
自然エネルギーの利用や緑化を取り入れたデザインも人気です。
2. スマートホームテクノロジーの導入：AIやIoT技術を活用したスマ
ートホームが一般的になってきています。音声コントロールやモ
バイルアプリを使った家電制御、センサーによる照明や温度の自
動調整、セキュリティシステムの強化などが特徴です。
（以下略）

　生成された回答では、建築に対して最近の流行の傾向をそれなりに回答
してくれました。しかし、ユーザーが建築に対してある程度の知識を持っ
ていれば、ChatGPTが生成した回答ではやや物足りないかもしれません。
　そこで、**ChatGPTを建築の専門家として指定し**、同じ質問をしてみま
した。次のように指定します。

**あなたは建築の専門家です。最近の戸建ての流行を詳しく教えてくだ
さい。**

はい、建築に関する知識を持っていますので、最近の戸建て住宅の流
行について詳しくお伝えします。

1. オープンプラン：オープンプランの設計が人気です。キッチン、
ダイニング、リビングなどが一体化しており、広々とした空間が
作られています。家族や友人との交流を促進し、明るく開放的な
雰囲気を演出します。
2. 自然素材の使用：自然素材の使用が増えています。木材、石材、

大理石などが内装や外装に使われ、温かみや質感をもたらします。また、持続可能性への関心が高まっており、再生可能素材やリサイクル素材の利用も見られます。

（以下略）

　生成された回答は、最初に指定したプロンプトとそれほど変わらないかもしれません。あるいは、専門家らしい用語を使った回答が返ってきたかもしれません。回答の冒頭には、「私は建築に関する知識を持っていますが、専門の建築家ではありません」などと前置きして答えることもあります。

　この「**あなたは◯◯の専門家です**」といったプロンプトの指定は、何か質問してテキストを生成させたとき、その回答がごく一般的で物足りないものだったときに有効です。より専門的で、突っ込んだ回答が得られやすいのです。

　プロンプトで業界や職種、部門などの指定を行うと、ChatGPTがうまく機能して精度の高い回答が得られやすい傾向があります。会計のプロ、プロのコピーライター、プロの編集者、プログラミングの専門家、マーケティングの専門家、あるいはプロや専門家でなくても役割を設定してあげると、生成させたいテキストに合わせてプロや専門家の立場で、より詳しく、専門的な回答が得られるようです。

👆 Point

プロンプトで業界や職種、部門などの指定を行うと、精度の高い回答が得やすくなる

わかりやすい回答を引き出すためのコツ

回答形式・対象年齢を指定する

プロンプトの指定で特に有効なのは、**生成するテキストの文字数を指定する方法**です。

「○○について500字以内で教えてください」

といった指定をすると、指定した質問や要望に対して重要な点を簡潔に回答してくれるようになります。ただし、前述のようにChatGPTは文字数を厳密に守ることはなく、500字と指定しても生成された回答は800字だったり900字だったりすることも少なくありませんが、それでも20行、30行にもわたるような長文を回答されるより、ずっとわかりやすいテキストに仕上がっています。

> 📖**Memo**
>
> 文字数を指定して質問すると、簡潔にわかりやすく回答してくれる

わかりやすいといえば、**回答形式を指定する**のも有効です。回答が複雑なテキストになりそうなときは、

👤○○について**箇条書きで答えてください。**

といった具合に指定すると、要点を箇条書きにして生成してくれます。長い文章を読むよりも、箇条書きで生成された文章のほうが、回答が理解しやすくなります。

また、より簡単な回答を得るためには、

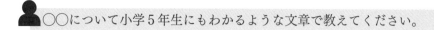
○○について小学 5 年生にもわかるような文章で教えてください。

などと**読者の年齢を指定する**のも有効です。ChatGPTが生成するテキストは、一般的には20〜60代にもわかるような、ごく一般的な年齢層を対象としたテキストです。

ところが、専門的な質問や、ユーザーがあまり詳しくない分野の質問をしたとき、回答に目を通してもよくわからないこともあるでしょう。そんなとき、読者の対象年齢を「小学生」「中学生」「小学3年生」などと限定して指定してみると、ChatGPTはより簡単な言葉で回答を生成してくれます。

具体的に見てみましょう。次の例は、電気自動車が動く原理について質問したときの回答です。

👤 電気自動車が動く原理を教えてください。

電気自動車（Electric Vehicle, EV）の動きの原理は、内燃機関を搭載した一般的な自動車とは異なります。以下に電気自動車の基本的な動作原理を説明します。

1. 電力供給と蓄電池：電気自動車は、蓄電池（バッテリー）に電力

を充電することで動作します。蓄電池は一般的にリチウムイオン
電池が使用されており、車両の下に配置されたり、床下などのス
ペースを利用して設置されます。

2.モーター：蓄電池から供給された電力は、電気モーターに送られ
ます。電気モーターは回転力を発生し、車輪を駆動します。一般
的には、交流（AC）モーターまたは直流（DC）モーターが使用
されます。

（以下略）

　この回答では理解しづらい部分もあるでしょう。そこで、「小学生にも
わかるように教えてください」と指定すると、次のような回答が得られま
す。

電気自動車が動く原理を、小学生にもわかるように教えてください。

もちろんです！以下は、小学生でも理解しやすいように説明した電気
自動車の動作原理です。

電気自動車は、電気で動く車のことです。通常の自動車とはちょっと
違います。

1.電気の力で動く：電気自動車は、蓄電池（でんち）という大きな
電池が中に入っています。この蓄電池にはたくさんの電気がたま
っています。

2.モーターで力を生み出す：電気を使って動くために、電気自動車
にはモーターと呼ばれる機械があります。このモーターは、電気
を受け取って力を生み出します。

（以下略）

最初の回答と比べて簡単な言葉で回答してくれていることがわかるでしょう。

▼箇条書きで回答させる

ChatGPTの回答は、プロンプトで指示した質問によっては、箇条書きで答えてくることも少なくありません。長いテキストで回答するよりも、より簡潔でわかりやすいテキストを生成しようとするからでしょうか。

長いテキストで回答が表示されたときは、続けて**「箇条書きにしてください」と指定すれば、番号を付けて要点を箇条書きで出力してくれます。**また、最初からプロンプトに「箇条書きで○○について教えてください」「○○について箇条書きで説明してください」などと指定すれば、回答を番号付きの箇条書きで出力してくれます。

たとえば、太宰治の作品について箇条書きで回答してくれるように指定したところ、次のようになりました。

太宰治の作品を箇条書きで教えてください。

太宰治（だざいおさむ）は日本の作家であり、20世紀を代表する文学者の一人です。以下に太宰治の代表的な作品を箇条書きでご紹介します：

1.『人間失格』（にんげんしっかく）
2.『走れメロス』（はしれメロス）
3.『斜陽』（しゃよう）
4.『津軽』（つがる）
5.『駈込み訴え』（かけこみうったえ）
6.『お伽草紙』（おとぎぞうし）
7.『富嶽百景』（ふがくひゃっけい）
　（以下略）

　回答が簡条書きで出力されることには、大きなメリットがあります。ChatGPTは質問と回答という形でチャットを進められますが、このとき「2番についてもう少し詳しく説明してください」といった具合に、**番号を指定してより深い会話を進められること**です。

　アイデアなどを回答させるときも、やはり簡条書きで出力させたほうが便利です。簡条書きの回答なら、「〇番について別の方向でまとめてください」といった具合に会話を進めることもできます。

　1回のプロンプトの指定で、ユーザーが求める回答を得るのは、指定するプロンプトにかなりの工夫が必要です。通常は、指示と回答を何度かやり取りし、求めているテキストが生成されるように会話を進めることになります。簡条書きの回答なら、この作業が効率的に行えるようになるのです。

> 📖 **Memo**
>
> 簡条書きで回答が出力されると、「〇番について詳しく説明してください」など、番号を指定してより深い会話を進められる

回答の精度を上げるプロンプト

プロンプトの「型」を作る

　ChatGPTを利用して生成されたテキストを見て、AIといってもこの程度なのか、と落胆したユーザーも少なくないでしょう。世界中で爆発的にブームになったChatGPTだけに、生成されるテキストに過度の期待を抱いてしまったのかもしれません。

　しかし、希望に沿うような回答が出てこないのは、ユーザー側のプロンプトの指定が下手で、ChatGPTの実力を引き出せていないだけのことのほうが多いのです。生成AIの実力を最大限に引き出すためには、ユーザーにも「質問力」が必要なのです。プロンプト・エンジニアやエンジニアリングが必要なのは、この「質問力」を上げるためです。

　ChatGPTの回答の精度を上げるためには、プロンプトでどのような指定を行うのかが重要になってきますが、その基本は**生成させたいテキストを具体的に指示すること**です。

　たとえば、出版社の編集者が新しいビジネス書の企画を作りたい、といったときはどうでしょう。

新しいビジネス書の企画を考えてください。

　ChatGPTの初心者なら、まずこんな質問をするかもしれません。このプロンプトに対するChatGPTの回答は、たとえば次のようなものでした。

タイトル：『イノベーションの源泉：創造的思考を活性化させる6つのステップ』
概要：
このビジネス書は、イノベーションと創造性のプロセスを探求し、読

者が新たなアイデアを生み出し、ビジネスに活かすためのステップを提供します。現代の競争の激しいビジネス環境では、創造的なアイデアとイノベーションが成功を収めるために不可欠です。この本では、読者が自身の創造力を高め、革新的なビジネスアイデアを実現するための具体的な方法を学ぶことができます。

章立て：
1. イノベーションと創造性の重要性
    ・イノベーションのビジネスへの影響
    ・創造性の力の意義
2. 創造的思考の基礎
    ・創造的思考の定義と特徴
    ・マインドセットの変換
    （以下略）

タイトルや概要、それに章立てまで出力してくれました。実際に似たような企画を考えているときなら、参考になりそうな回答です。

ところが、タイトルや概要を見て、こんな本の企画は自分が考えていたものとはほど遠いし、売れるとも思えない。結局ChatGPTではこの程度の企画しか出てこないのか、と感じる人もいるでしょう。

けれども、考えてみてください。新しい本の企画を考えるとき、漠然と「新しいビジネス書の企画」などと考えるわけではないはずです。同僚と議論するときも、ブレインストーミングをするときも、実際に企画会議を行うときも、こんな漠然とした話題では答えは出てきません。

ChatGPTの回答の精度を上げ、欲しい回答を引き出すためには、**まずどのような目的で、どのような回答が必要なのか、具体的に指示してあげること**なのです。そのためには、プロンプトの「基本形」ともいえるパターンを作っておくのが早道です。

▼条件を付け加える

　賢いプロンプトのパターンは、**条件を付けること**です。たとえば、先の例でいえば、まず**役割を指定**します。

あなたはビジネス書のプロの編集者です。

　これは、これから指定する条件をChatGPTが答えるための、大前提となる役割です。ビジネス書の企画をビジネスに携わっていない人に考えてもらっても、画期的な企画など出てくる可能性は限りなく低いでしょう。

　逆に、たとえば料理のレシピを考えてもらうとき、料理に詳しくない人に考えてもらっても、正しい答えは出てきません。

　ChatGPTは、特に役割を与えなくても、それなりの回答をしてくれます。プロンプトを分析して、ビジネス書の企画を求められていれば、ビジネス書の知識から回答を導き出し、料理のレシピが求められていれば料理データから回答を導き出す、といった具合です。

　しかし、プロンプトで「あなたは○○のプロです」と役割を指定したほうが、より正確に専門的なデータを参照してくれます。

> 📖 **Memo**
>
> 「あなたは○○のプロです」と役割を指定してあげると、専門的なデータを参照してより正確な回答をしてくれる

　役割を指定したら、次にやることの条件を細かく指定します。たとえば料理のレシピなら、使用する材料を指定してもいいでしょう。

野菜を使ったレシピを考えてください。

　これでも構わないのですが、もっと細かく指定したほうがより希望に沿った回答になるはずです。たとえば、次の通りです。

にんじんと玉ねぎ、糸こんにゃく、豚肉を使った料理

豚肉とにんじんの炒め物

材料：
・豚肉：200g（薄切りにする）
・にんじん：2本（せん切りにする）
・玉ねぎ：1個（薄切りにする）
・糸こんにゃく：1袋（お湯で戻して水気を絞る）
（中略）

作り方：
1. フライパンにごま油を熱し、にんにくを炒めます。
2. 豚肉を加えて炒め、色が変わるまで炒めます。
3. にんじんと玉ねぎを加え、野菜がしんなりするまで炒めます。
4. 糸こんにゃくを加え、全体が均一に混ざるまで炒めます。
　（以下略）

　このように材料を細かく指定したほうがいい回答が得られます。冷蔵庫の中にある材料を列記しレシピを考えてもらえば、毎日の夕飯の献立に悩むことも減ってくるでしょう。
　料理のレシピは一例ですが、他の作業でも同じです。本の企画なら、対象読者や取り上げる分野などを指定したり、顧客への挨拶文なら季節や相手の年齢、業務の進展なども書いたりしておくなど、条件を細かく列記すればするほど、ChatGPTの回答は最適化されたものになるはずです。
　そして最後に、何をやってほしいのか、**目的を明確に指定します**。レシピを作成してほしいのか、企画書を作成してほしいのか、データを分析してほしいのか、A4版の用紙1枚に収まる挨拶文を作成してほしいのか……、ChatGPTに何をしてほしいのかを具体的に、そして詳しく指定し

ます。

　どのような回答を得たいのかによって、ChatGPTにどのような指定をすればいいのかが変わってきます。しかし、役割や条件、目的など、プロンプトで指定する基本は同じなのです。

> **⊕ Point**
>
> ChatGPTに何をやってほしいのか、目的を明確にして指定すれば望んだ回答が得やすくなる

▼ハッシュタグで制約条件を指定する

　ChatGPTで生成したい文章を指定するとき、プロンプトはユーザーによって大きく変わってきます。生成したいテキストも、その分野も異なってきます。ただし、基本は同じです。指定するのは、次のようなものです。

- 役割：ChatGPTがテキストを生成するときの役割、立場など
- 条件：何について、何文字で、わかりやすくなど、作成したい回答に合わせて条件を指定
- 目的：挨拶文なのかレシピなのか、企画なのか、分析なのかなど、生成されるテキストの目的を指定

　これらの指示を、毎回文章で指定するのは大変でしょう。そこで**プロンプトのパターンを作っておきます**。ChatGPTを利用して、生成させたいテキストを作ってみて、自分の目的に合った回答が作成できたときのプロンプトを、基本のパターンとして用意しておきます。

　実はChatGPTのプロンプトでは、**ハッシュタグが利用できます**。ハッシュタグは、X（旧Twitter）やInstagramなどのSNSで利用されているように、行頭に「#」のハッシュマークを付けて記述するもので、このキーワードを付けることで指定を箇条書きにしたり、条件を明示したりできます。

たとえば、プロンプトで指定する条件を次のように指定します。

#役割：
あなたは保険外交のプロです。
#目的：
人生100年時代の新しい生命保険の企画
#条件：
・60歳以降の保険商品とする
・保険商品に詳しくない顧客にもわかるようわかりやすく
・企画する商品は3つ

すると、次のような回答が返ってきます。

新しい生命保険商品の企画案：
1.『ライフエンジョイメントプラン』

概要：
この保険商品は、人生100年時代を楽しく過ごすための総合的な保障を提供します。60歳以降の方々に向けて、生活の安心と豊かさをサポートする特長的なポイントを備えた商品です。
特徴：
・終身保険：このプランは終身保険として提供され、保険期間を気にせずに長期的な保障を提供します。
・総合的な保障：介護や医療費、旅行保険、健康管理サービスなど、人生100年時代に必要なあらゆる面での保障を提供します。
（以下略）

ハッシュマークを付けなくても、ChatGPTはそれなりの回答を出力してくれますが、ハッシュマークを付けて役割や目的などを明確に指定したときのほうが、より目的に合ったテキストを生成しやすくなります。

▼マークダウン方式で出力させる

　ChatGPTが生成するテキストは、ワープロで作成したように整形して出力させることもできます。たとえば、**マークダウン方式で指定すること**もできます。

　マークダウンとは、文書を記述するためのマークアップ言語のひとつで、段落や見出し、装飾などを付けて出力させる方式です。ChatGPTではプロンプトの最初や最後に、次のように指定するだけで構いません。

「マークダウンテキストで出力してください」

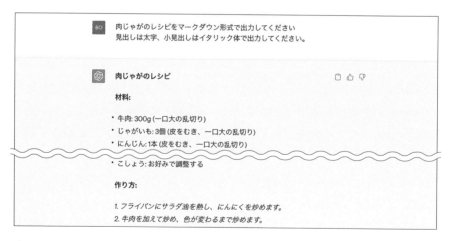

肉じゃがのレシピをマークダウン形式で出力させる

　すると、次ページのように回答が生成されます。画面を見るとわかるように、タイトル部分や小見出し部分の表示が太字になっていたり、イタリック体になっていたりします。こうしてマークダウン形式で出力させるだけで、文書はより見やすくなります。

　マークダウン形式で出力した回答は、右上にあるコピーアイコンをクリックしてコピーし、メモ帳などに貼り付けてみると、実際には次のように記述されています。

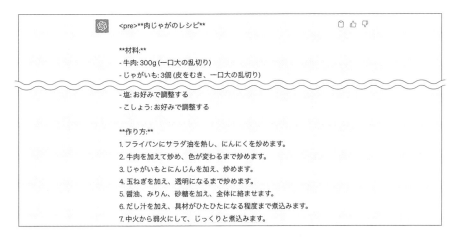

マークダウン形式で出力したテキストは、見出し部分などにマークが追加されている

　ChatGPTでは、見出し部分には先頭に「**」とマークされ、箇条書きのリスト部分は先頭に「-」とマークされているのがわかります。

　これらの記号を、プロンプトでユーザーが指定・変更することもできます。たとえば、タイトルや太字、イタリック体などを次のように指定してみます。

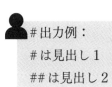

\#出力例：
\#は見出し１
\##は見出し２

```
### は見出し3
* は太字
** は斜体
[ はリスト
```

すると、次のように回答が生成されます。

🌀 肉じゃがのレシピ

材料:

- **牛肉**: 300g (一口大の乱切り)
- **じゃがいも**: 3個 (皮をむき、一口大の乱切り)
- **にんじん**: 1本 (皮をむき、一口大の乱切り)
- **玉ねぎ**: 1個 (薄切り)
- **にんにく**: 2片 (みじん切り)
- **醤油**: 大さじ3
- **みりん**: 大さじ2
- **砂糖**: 大さじ1
- **だし汁**: 200ml
- **サラダ油**: 大さじ2
- **塩**: お好みで調整する

マークダウンの形式を指定して出力させてみた

　このようにマークダウンの形式を明示的に指定すれば、ChatGPTの回答をそのままWebページ形式で出力させたり、あるいは利用しているワープロやエディタがマークダウン形式をサポートしていれば、装飾を施したテキストで出力させたりすることもできます。これならChatGPTの出力したテキストを、効率的に活用できるようになるわけです。

> 📖 **Memo**
>
> マークダウン形式での回答を指定することで、ワープロで作成したように整形された文書で回答を出力できる

パラメータを変更する指定

ChatGPTの出力に手を加える

ChatGPTには隠れた機能として、いくつかユーザーが指定できる**パラメータ**があります。パラメータとは、その値をユーザーが指定・変更することで、ChatGPTの出力に手を加えられる機能です。

ChatGPTは自分で考えてテキストを作成しているのではなく、基本的にはある言葉に続けて、次に出てくる確率の高い言葉を選択し、これを続けることで文章を作成していきます。このときの確率の精度を調整すれば、より厳密なテキストを生成させたり、逆に確率が低いためにより創造的なテキストを生成させたりすることもできます。

標準では、その確率がちょうどよい中間に設定されていますが、**temperatureというパラメータを調整する**ことで、標準よりも厳密なテキストを生成させたり、逆により創造的なテキストを生成させたりすることもできます。あまり確率の低い値に設定すると、生成されるテキストが意味の通らない文章になったりもしますが、作成したい文章によって調整してみるのもいいでしょう。

このようにユーザーが変更できるパラメータがいくつかあります。実際に変更してみて、生成されるテキストがどのように変化するか確認しておくといいでしょう。

🖑 Point

パラメータを調整することで、標準よりも厳密なテキストを生成させたり、反対により創造的なテキストを生成させたりと、ChatGPTの出力に手を加えられる

▼temperatureパラメータでランダム性を制御する

　ChatGPTでは出現した語句に続いて、次に出てくる語句を確率の高い順に並べていき、文章を作成しています。この確率の調整が、temperatureというパラメータで設定されています。標準ではこのパラメータが0.7に設定されていますが、0に設定すると確率が最も高い語句が出力され、0より数値が大きくなればなるほど、確率が低い語句も出現するようになります。

　このパラメータを変更することで、より創造的な文章が作成されやすくなるわけです。

　temperatureパラメータは、「temperatureを1.3に設定」といった指定で設定・変更できます。

　例として、temperatureパラメータを0.3に設定したときと、2に設定したときとで、同じ「七夕の物語」を生成させてみました。

　0.3に設定したときは、次のような結果となります。

> temperature＝0.3に設定し、七夕の物語を300字で作ってください。

> 天の川を挟んで暮らす織り姫と彦星は、1年に一度だけ出会える七夕の夜。織り姫は美しい織物を織り、彦星は夢を込めた音楽を奏でる。二人の想いは星々に乗って届き、人々の願いも星に乗せられる。七夕の夜、織り姫と彦星は再会し、喜びと感動に満ちた時間を過ごす。星空の下で、人々は願いを短冊に込め、夢や幸せを願う。織り姫と彦星の愛は、天の川を越えて永遠に続く。七夕の物語は、希望や絆を讃える祭りとして、心を豊かにする。

　続いて2に設定したときです。

> temperature＝2に設定し、七夕の物語を300字で作ってください。

とある宇宙の彼方に、天の川に住む神秘的な存在、織り姫と彦星がいた。七夕の夜、彼らは運命の絆で結ばれ、世界に奇跡をもたらす。織り姫はきらめく星々から糸を紡ぎ出し、彼女の手によって美しい織物が誕生する。一方、彦星は宇宙の調べを奏で、その音色は宇宙中に響き渡る。

その音と光の絶妙な調和によって、天の川が輝く橋となり、願いを運ぶ短冊が宇宙に舞い上がる。人々は七夕の夜、星に願いを託し、奇跡が降り注ぐ瞬間を待つ。

織り姫と彦星は天の川で出会い、愛と感動に満ちた時間を過ごす。彼らの絆は宇宙を超え、世界中の心に希望と幸せを届ける。

七夕の祭りの夜、星々は輝きながら、人々の願いをかなえる力を宿す。それは奇跡の夜であり、愛と希望の象徴となる。

この物語は、七夕の祭りの魔法と奇跡を讃え、人々の心に響く物語である。織り姫と彦星の力が結集し、星々が輝く七夕の夜、奇跡が現れるのだ。

0.3に設定したときは、語句と語句のつながりがより確率の高いものになるため、学習しているデータに近い文章になり、2に設定したときは確率が低くなるため、より創造的な文章になりやすいことがわかります。

📖 Memo

temperatureの値を低くすると学習しているデータに近い文章になり、高く設定するとより創造的な文章になりやすい

▼Top_pパラメータで正確性を設定する

Top_pパラメータは、temperatureパラメータと同じように、生成される
テキストの確率を調整するパラメータです。設定範囲は0〜1で、標準で
は0.9に設定されています。

次に続く言葉の確率を設定しているパラメータで、値が低いほど厳密で、
高いほどランダムに富んだテキストを生成します。

▼nパラメータで生成する答えの数を設定する

ChatGPTは、通常は1つの答えを返してくれます。この回答の数をnで
指定します。標準はn=1に設定されていますが、n=3、n=5などと指定す
れば、指定したnの数だけ回答を出力してくれます。

設定できるのは、1〜10までの整数です。たとえば、n＝3に設定して
好きな食べ物について質問すると、次のように3つの答えを返してくれま
す。

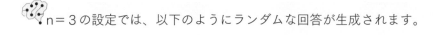
n＝3に設定し、好きな食べ物を教えてください。

 n＝3の設定では、以下のようにランダムな回答が生成されます。

1.ラーメン
2.サラダ
3.チョコレート

上記はランダムな例ですので、実際の好みとは異なる場合もあります。
あなたのお好みの食べ物は何ですか？

▼presence_penaltyパラメータで単語の重複を避ける

presence_penaltyパラメータで、生成するテキスト内で同じ単語や文章
が出現する頻度を設定します。設定できるのは－0.2〜2.0までの値で、標

準では0に設定されています。

　このパラメータの値を低く設定すると、同じ単語や文章が出てくる頻度がより少なく、値を高くすれば繰り返し出てくる頻度が多くなります。

▼frequency_penaltyパラメータで単語の出現度を調整する

　frequency_penaltyパラメータはpresence_penaltyパラメータと同じような機能で、このパラメータの値を低く設定すると、生成されたテキスト内で同じ単語や文章の繰り返しが少なくなります。

　この値を大きく設定すると、同じ単語や文章の繰り返しが増えたテキストが生成されます。設定できるのは－2.0〜2.0のまでの数値で、標準では0に設定されています。

▼カスタム指示機能で回答を最適化する

　これまで有料プランのChatGPT Plusユーザーにのみ提供されていた**カスタム指示機能**が、無料ユーザーにも提供されるようになりました。カスタム指示機能とは、ChatGPTに対して自分のことで知っておいてほしいことなどを事前に設定しておく機能です。自分の住んでいる国や職業、趣味や興味といったことをChatGPTに知らせておくことで、ChatGPTからの回答をもっと自分に合うよう調整できる可能性があります。

　このカスタム指示機能は、左サイドバーの自分の名前をクリックし、現れたメニューから「Custom instructions」を指定します。すると「Custom instructions」ダイアログボックスが現れるので、ChatGPTに事前に知っておいてほしいことを記入しておきます。

　知っておいてほしいことを記入したら、「Save」ボタンをクリックします。これでChatGPTはカスタム指示設定に合わせた回答を返すようになります。

1 メニューから「Custom instructions」を指定する

2 ダイアログボックスにChatGPTに知っておいてほしいことを入力し、「Save」ボタンをクリックして設定しておく

究極のプロンプトはChatGPTに聞け!?

プロンプト作成の早道

　ChatGPTに欲しいテキストを生成させるためのプロンプトは、質問や目的によって大きく異なってきます。またユーザーによって、さらにこれまで行ったチャットによっても、やはりプロンプトの指定は異なっています。ChatGPTに同じ質問をしても、いつも同じテキストを生成してくれるわけではないのです。

　いろいろ工夫してプロンプトを指定しても、なかなか思うようなテキストが生成できないとき、最初に試してみたいのが、**英語でプロンプトを指定する**方法です。

　これまで記してきたように、ChatGPTは事前にさまざまなデータを学習させています。そのデータは、インターネット内に蓄積されているテキストデータや、あるいはさまざまな文献や論文、資料などといったものです。しかもChatGPTを開発しているOpenAI社はアメリカの組織です。日本語と比較すれば、英語で書かれたデータのほうが何十倍も多いと予想されます。

　そこで思うようなテキストが生成されなかったときは、プロンプトを英語で指定してみるのも有効な方法です。英語で詳細な指定など難しいと考えているユーザーもいるでしょう。

　けれども心配はいりません。まず日本語でプロンプトを記述し、これを英語に訳し、改めてこの英語のプロンプトをChatGPTに指定すればいいのです。Google翻訳のような翻訳サービスを利用しても構いませんが、これさえChatGPTで可能なのです。

　たとえば、次のような日本語のプロンプトを指定します。

ChatGPTでできることを3つ挙げてください。

さらに、このプロンプトに続け、「英訳してください」と指定し、英語で返ってきた回答をそのままプロンプトとして指定します。このとき「和訳も出力してください」と指定すれば、日本語プロンプト→英語プロンプト→英語回答→日本語回答という操作が自動的に行われ、日本語で指定したときよりももっと詳しい回答が、日本語で出力されます。このときのやり取りが下記になります。

「ChatGPTでできることを3つ挙げてください」を英訳してください。

Please provide three examples of what ChatGPT can do.

Please provide three examples of what ChatGPT can do.

Here are three examples of what ChatGPT can do:

1. Answer questions: ChatGPT can provide information and answer a wide range of questions on various topics. It leverages its training on a diverse dataset to generate relevant and helpful responses.
（以下略）

和訳してください。

以下はChatGPTができることの3つの例です：

1. 質問に答える：ChatGPTは、さまざまなトピックに関する情報を提供し、幅広い質問に答えることができます。多様なデータセットに基づいた訓練を活用して、関連性のある有益な回答を生成します。
（以下略）

　ChatGPTでは、プロンプトを日本語で指定したときより、英語で指定したときのほうがより正確な回答が得やすいのです。その英語の回答を日本語に翻訳すれば、ユーザーの求める回答が得られるケースも多いでしょう。

📖 **Memo**

「和訳も出力してください」と指定すれば、日本語プロンプト→英語プロンプト→英語回答→日本語回答という操作が自動で行われる

▼プロンプトを作成させる

　もうひとつ、どのようにプロンプトを指定すれば、目的に合ったテキストが生成できるのか迷うときは、**プロンプトそのものをChatGPTに作成させてしまうやり方**もあります。

> 👤○○について詳しく解説されたテキストを出力したいのですが、プロンプトをどのように指定すればいいか、プロンプトを作成してください。

　これでChatGPTに指定すべきプロンプトが出力されます。このままこのテキストを貼り付けてテキストを生成させれば、目的に近い文章が作成される可能性が高まります。たとえば、次のようなやり取りが行われます。

> 👤EV車向けの広告について詳しく解説されたテキストを出力したいのですが、プロンプトをどのように指定すればいいか、プロンプトを作成してください。

✨タイトル：EV車向け広告の魅力的なテキスト

プロンプト：最新のEV車を広告するために使用する魅力的なテキストを作成してください。EVの利点、持続可能性への貢献、先進技術の特徴、快適さやスタイリッシュなデザインなど、さまざまな要素をカバーしてください。

ChatGPTのテキスト生成は、どのようなテキストを出力するかを文章で指定します。まったく同じ理屈で、プロンプトそのものをChatGPTに作成させてしまうわけです。

作成されたテキストをプロンプトとして指定すれば、最初から自分で考えたプロンプトでの指定よりも、より目的に合ったテキストが生成されやすくなるわけです。

📖 **Memo**

プロンプトに迷ったらChatGPTに聞いてみるのが、プロンプト作成の早道

スマホで使うチャットボット

ブラウザよりも専用アプリのほうが使い勝手がよい

ChatGPTはパソコンのブラウザで利用するサービスですが、スマホ用のアプリも配布されています。

配布されているのは、iPhoneやiPad用のiOS向けアプリとAndroid用アプリです。実はスマホでもブラウザでChatGPTが利用できますが、**専用アプリのほうが使い勝手がよくなっています。**

また、スマホ用ChatGPTアプリなら、わざわざ文字を打ち込まなくても、音声入力によってプロンプトを入力することができ、出先などで手軽にテキストを生成できます。

ChatGPTはパソコンのブラウザでも、スマホのブラウザでも、さらにスマホ用アプリでも、いずれもチャット履歴が保存できるため、スマホの音声入力でチャットをスタートし、続きをパソコンでチャットすることも可能です。

▼iOS用のChatGPTアプリ

iOS用のChatGPTアプリは、アップルのApp Storeで入手できます。ChatGPTはOpenAI社が提供しているアプリですが、類似アプリがいくつも配布されており、中にはChatGPTの機能を利用できないものもあるようです。

❗注意‼

アプリをインストールするときは、デベロッパーの欄を必ず確認し、OpenAI社から配布されているものかどうかよく確認してからインストールする

ChatGPTをタップして起動すると、初めて起動したときはログイン画面が表示されます。既にChatGPTのアカウントを作成していたときや、Googleアカウント、Apple IDなどで利用しているときは、「Login」をタップしてChatGPTにログインします。

 **Memo**

まだアカウントを作成していないときは、「Continue with Apple」「Gontinue with Google」「Sign up with email」のいずれかのボタンをタップし、GoogleアカウントやApple ID、メールアドレスなどいずれかの方法でChatGPTアカウントを作成し、改めてログインする

1 アプリで初めてChatGPTにログインしたときは、ウエルカムページが表示される。「Continue」をタップする

2 起動画面が表示される

3 画面右上の「...」をタップすると
メニューが表示される

4 表示されたメニューから「History」をタ
ップすると、チャット履歴が表示される

> **📖 Memo**
>
> この履歴で継続したいチャットをタップして選択しチャットを続けること
> も、メニューから「New chat」を指定し新しいチャットを始めることも
> できる

5 プロンプト入力画面でソフトキ
ーボードを利用してプロンプト
を入力する

6 実際にテキストを生成させてみた。
パソコンのブラウザで利用するとき
と、ほとんど変わりなく操作できる

📖 Memo

入力欄をタップし、音声入力でプロンプトを指定
することもできる

▼スマホ用ブラウザで利用する

　ChatGPTアプリをインストールしなくても、ChatGPTはスマホのブラウザでも利用できます。

　iPhoneやiPadでSafariまたはChromeなどのブラウザを起動し、ChatGPTのURLを指定してChatGPTのページを表示させます。

　iPhoneの場合、やはりiPhoneのソフトキーボードでプロンプトを入力する以外に、音声入力機能によってプロンプトを入力することもできます。音声入力したいときは、ソフトキーボード右下のマイクのアイコンをタップすれば、音声入力が可能です。

　もちろん、ブラウザに表示されているChatGPTのページでは、左上のメニューボタンをタップし、チャット履歴からチャットを選択し、会話を続けたり、新しいチャットをスタートしたりすることもできます。

iPhoneのSafariでChatGPTのページに移動し、ChatGPTを利用する

　iPhoneのブラウザで利用したチャットも、パソコンでChatGPTにアクセスし、続きの会話を行うことができます。パソコンでもスマホでも、シームレスにChatGPTが利用できるわけです。

▼Android用のChatGPTアプリ

　Android用のChatGPTアプリも、既に配布されています。Android用アプリはGoogleのGoogle Playストアから入手します。Google Playストアアプリを起動し、ChatGPTを検索してインストールします。

　ChatGPTアプリをインストールしたら、アイコンをタップして起動します。最初に起動するとログイン画面が現れるので、Googleアカウントや Apple ID、またはメールアドレスなどを指定してログインします。

1 Google PlayストアでChatGPT アプリをインストールする

2 GoogleアカウントまたはApple ID、メールアドレスなどのいずれかを指定してログインする

3　アプリで初めてログインすると、ウエルカムページが表示される。画面を下までスクロールし、「Continue」ボタンをタップする

4　「Message」欄に質問や指示を入力して「↑」ボタンをタップすればチャットを行うことができる

Memo

パソコンで利用していたWeb版ChatGPTと同じアカウントでログインしていれば、左上のメニューボタンから「History」をタップすることで、Web版で行っていたチャットをスマホで続けることもできる

▼ブラウザで利用するChatGPT

　Android版ChatGPTアプリを利用しなくても、ブラウザでChatGPTを利用することもできます。Android版スマホに搭載されているブラウザは、

標準ではスマホ用Chromeなどですが、これを起動し、ChatGPTのURLを指定してブラウザでアクセスします。

ChatGPTのページが表示されたら、アカウントを入力してサインインします。これでチャットページが表示されるので、新しくチャットを始めたり、チャット履歴からチャットを指定し、会話を続けたりできます。使い方そのものは、パソコンで利用しているときと同じです。

なお、プロンプト入力欄でソフトキーボードを表示し、キーボードから文字を入力したり、音声入力を利用したりしてプロンプトを入力することもできます。

ChatGPTのアカウントを入力またはGoogleアカウントやApple IDなどを指定し、ChatGPTにログインする

チャット画面。パソコンで利用しているときとまったく同じように、プロンプトを入力してチャットを行い、テキストを生成できる

▼AIチャットくん

いくつか配布されているAndroid向けテキスト生成AIのアプリの中には、アカウントを作成しなくてもチャット形式で手軽にテキストを生成できるアプリがあります。たとえば、picon Inc.が配布している「**AIチャットくん**」です。

　Google PlayストアからAIチャットくんをインストールしたら、これを起動します。すると「次のように質問してみよう」と書かれたページが表示されます。

ブラウザで利用する
ChatGPTのURL。
QRコードを読み取り、
ブラウザでアクセスで
きる

AIチャットくんの起動画面

質問すると回答が返ってくる

　ChatGPTと同じように、入力欄に質問などを入力して右端の矢印マークをタップすると、その答えが出力されます。

　ただし、出力された回答を共有したり、パソコンで利用したりする、といったことはできません。テキストを範囲指定してコピーし、メモ帳のようなアプリに貼り付けて利用したり、メールに貼り付けて自分宛てに送ったりすることで、生成されたテキストをパソコンでも利用できるようになります。

　質問を入力するだけで、簡単にその答えやテキストが生成され、手軽にテキスト生成AIを試せるアプリです。しかし、実際にもっとさまざまな場面で活用しようと思うなら、ブラウザでChatGPTを利用したほうが便利かもしれません。

LINEで使うチャットボット

本格的にChatGPTを使う前のお試しとして最適

スマホのメッセージングアプリの中で、日本で特にユーザーが多いのがLINEです。

このLINEにも、テキスト生成AIのアカウント「**AIチャットくん**」があります。ChatGPTと会話が行えるアカウントで、前節で紹介した「AIチャットくん」アプリと同じpicon Inc.が運営しているアカウントです。

LINEで「AIチャットくん」を友だちとして追加すると、チャットができるようになります。通常のアカウントと同じように、LINEのトーク画面で会話を行いますが、「AIチャットくん」ではユーザーが質問を投稿すると、その質問に合わせたテキストを生成し、返答してくれます。

「AIチャットくん」は、ChatGPTの機能をLINEで利用できるようにしたもので、**LINEを使い慣れているユーザーなら、ごく手軽にテキスト生成AIを体験できます。** 体験できるだけでなく、AIチャットくんが生成するテキストは、ChatGPTとほぼ同じものです。生成されて返答されたテキストをコピーし、LINEで他のユーザーに送ったり、あるいはメールに貼り付けて送信したりということが、スマホだけで行えます。

新規にアカウントを作ったり、登録したりという操作が不要で、普段利用しているLINEだけでテキスト生成AIが利用できるだけに、「AIチャットくん」は実に手軽です。

アカウント登場からわずか1カ月で、友だち登録した会員が150万人を超えたといいますから、その人気も想像できます。本格的にChatGPTを利用する前に少し試してみたいのなら、LINEでの利用も選択肢に入れておくといいでしょう。

AIチャットくんのトーク
画面

トークで質問を送る
と、テキストを生成し
て返信してくれる

Chapter 4

分野別ChatGPT活用法
——文書作成編

GPT

事務部門——文書を作成する

思うようなテキストを生成してもらう方法

　ChatGPTの出現が画期的なのは、このテキスト生成AIという機能が多くの企業の仕事や業務に活かせる可能性がある点です。

　世の中には実にさまざまな仕事がありますが、企業の仕事の中には文書作成やそれらに準ずる仕事が数多くあります。顧客に手紙やメールを送ったり、取引先にお知らせのメールや手紙を送ったりすることもあります。営業部門なら製品のパンフレットを作ったり、製品の特徴をまとめたり、あるいは取引先に製品やサービスの売り込みを行うための文書を作成することもあるでしょう。毎日営業日誌を提出しなければならない、といった企業さえあります。

　企画部門でも、新製品や新しいサービスを企画書にまとめたり、その企画を通すための会議用資料を作成したりするでしょう。経理部門では大半の業務が書類作成そのものになるかもしれません。営業から企画、広報、経理など、企業ではほとんどの部門で書類作成という業務が、仕事全体の多くの部分を占めています。

　こうした書類や文書を作成するといった業務が、ChatGPTを利用すれば何倍もの効率を上げられる可能性があるのです。

"可能性"と書きましたが、ChatGPTを利用すれば必ず仕事が効率化する、わけではないからです。その最大の理由が、**ChatGPTを利用してもなかなか思うようなテキストが生成されない**、という点です。どうプロンプトを設定すればいいのか、どのように記述すればいいのか、会話をどう進めていけばいいのか、ChatGPTはまだ出たばかりのサービスですから、この最も重要な点が判然としないのです。

　そこで本章では、企業のさまざまな部門での書類作成にChatGPTのプロンプトをどのように指定すれば、希望に沿うテキストが生成できるのか

を説明していきます。自分の関わる部門や業務には当てはまらない人も、プロンプトを自社や自身の部署に合わせて少し工夫するだけで応用できるはずです。

▼ビジネス文書を作成する

　まず、最も簡単なのが、既に作成されている文書の一部を変更する作業です。たとえば会社独自の定型文書やひな型があったり、毎年似たような文書を作成したりするため、過去に作成したものがデータで残っている、というケースです。

　こんなときは、定型文やひな型、データなどを添えて、文書の**一部の言い回しを変えるように指示します。**

　たとえば、顧客に送る時候の挨拶。既にさまざまな定型文書が作成されているでしょう。その定型文書の言い回しを変更するだけで、季節や用途に合わせた文書に仕上げられるはずですが、どこをどう直せばいいのかわからないケースもあります。

　あるいは、まだ定型文書やひな型が作成されていないところもあるでしょう。こんなときは、最初からChatGPTを使って文書を作成してしまえばいいのです。たとえば、次のようなやり取りになります。

ケース１：納品書を送るときの文書

納品書を送付するビジネス文書を作成してください。**冒頭には時候の挨拶文を入れてください。季節は８月です。**

件名：８月の納品書送付に関するご連絡

拝啓、お世話になっております。お盆の時期も近づき、ますます暑さが増してまいりましたが、お変わりありませんでしょうか。お体ご自愛ください。

さて、このたびは弊社へのご依頼に対しまして、誠にありがとうござ
いました。ご愛顧いただき、心より感謝申し上げます。

さて、早速ですが、お客様にお届けいたしました商品の納品書を添付
いたしましたので、ご確認ください。お手元に届くころには、きっと
お客様のお役に立つことと存じます。

納品書には、以下の情報が含まれております。
・商品名・数量・単価
（以下略）

　これで納品書を送付するときの文書が作成できました。定型文やひな型
がなく、最初から作成しようとすれば小一時間はかかるのではないでしょ
うか。それがChatGPTを使えば１分もかからず完成します。
　もちろん、出力されたものは自社や製品などに合わせて手直しが必要に
なりますが、それでも大幅な効率化が可能なはずです。
　既に作成されている文書がある場合は、その文書を活かし、時候の挨拶
などの言い回しを変更するのもいいでしょう。既に作成されている文書の、
時候の挨拶部分だけを変更してみます。

ケース２：季節に合わせて時候の挨拶の言い回しを変更する

次の文書の時候の挨拶部分を10月のものに変更してください。
入力：
拝啓、お世話になっております。暑い８月の中、いかがお過ごしでし
ょうか。お変わりなくお元気でお過ごしいただけていることを願って
おります。

さて、このたびは弊社の商品をご注文いただき、誠にありがとうござ

> いました。ご要望にお応えするため、お届け先には既に商品を発送い
> たしましたことをお知らせいたします。
> また、お手元に商品が届く前に、納品書を添付いたしました。ご確認
> いただき、商品が正しくお届けされたことをご確認ください。納品書
> には、商品の詳細、数量、合計金額などの情報が記載されています。
> （以下略）

拝啓、お世話になっております。涼しい10月の中、いかがお過ごし
でしょうか。お変わりなくお元気でお過ごしいただけていることを願
っております。

さて、このたびは弊社の商品をご注文いただき、誠にありがとうござ
いました。ご要望にお応えするため、お届け先には既に商品を発送い
たしましたことをお知らせいたします。

また、お手元に商品が届く前に、納品書を添付いたしました。ご確認
いただき、商品が正しくお届けされたことをご確認ください。納品書
には、商品の詳細、数量、合計金額などの情報が記載されています。
（以下略）

Point

季節や月を指定するだけで、ChatGPTは指定に合わせた時候の挨拶に変
更して出力してくれる

　特定の文章の言い回しを変更したり、自社に合わせて変更したりしたい
部分などがあれば、その部分を指定して別のテキストに変更するよう指定
すれば、ChatGPTは変更されたものを簡単に出力してくれます。
　また、**出力されたテキストを参照しながらチャットを繰り返すことで、
より自然で洗練された文書に仕上げること**もできます。ChatGPTの大き

な特長のひとつであるチャット機能を活用することで、まるで部下に何度も書き直しをさせながら文書を完成させていくような作業が可能なのです。

▼文書の構成を考える

　文書を作成したいときは、最初にその構成を考えます。仕事で必要な書類ですから、その目的やテーマは決まっているでしょう。そのテーマや目的に合わせ、どのような書類、文章を書けば伝えられるかを考えます。そのためには、まず文書全体の構成を考えることが必要なのです。

　ChatGPTで文書の構成を考えるのは簡単です。作成したい書類を**そのままChatGPTに入力してしまって構いません**。たとえば、新しく開発した調理器具の販促用資料を作成してみましょう。

新しく開発した調理器具の販促用資料の構成を考えてください。

新しく開発した調理器具の販促用資料の構成を以下に提案します。

1. カバーページ
   ・商品名やロゴ、キャッチコピーを配置し、資料の第一印象を良くします。
2. 目次
   ・資料の概要や内容の構成を示し、読者が必要な情報に簡単にアクセスできるようにします。
3. 背景・課題
   ・なぜ新しい調理器具が必要なのか、市場の課題や需要の背景を説明します。
   ・既存の調理器具の不便さや限界を示し、新商品の存在意義をアピールします。
   （以下略）

　かなり詳しい構成とその概要を出力してくれました。販促用資料は、ど
のような製品でもだいたい似たような構成になるものです。ChatGPTが
出力した構成もよくある販促資料の構成ですが、記述する内容としては過
不足ないでしょう。

　こうして出力された構成に沿って、今度は項目ごとに記述するテキスト
を作成していき、全体をひとまとめにして資料を完成させる、ということ
も可能になってきます。

　ChatGPTを活用すれば、これまで1週間以上かかっていた資料作りも、
わずか1～2日ほどで完成してしまうことさえあるわけです。ChatGPT
によって、いかに仕事の効率を上げられるか実感できるはずです。

顧客に送るメール文案を考える

英語の文書も自由自在に作成する

　顧客やユーザー、あるいは新規会員など、部署によっては自社の顧客に送るメールなどを書く機会も多いでしょう。

　送る相手が付き合いの長い顧客ならいいのですが、初めてのお客さんや、特に海外の顧客だったりすると、慣れないうちはメールを1本書くだけで1日仕事です。外国語が堪能な同僚がいればまだいいのですが、辞書を引きながらメールを作成しなければならないとすれば、これも時間のかかる作業です。

　Google翻訳のような無料で利用できる翻訳サービスもありますが、この分野でもChatGPTが活用できます。また、英語から日本語または日本語から英語といった翻訳以外に、日本語そのものの言い換えなど、ChatGPTならではの利用法もあります。

▼顧客に送る季節の挨拶文を作成する

　ビジネス文書には、古くからのいわば定型といえる形があります。たとえば、次のようなものです。

　①前文
　②主文
　③結び

　前文では、「時下、ますますご清祥のこととお慶び申し上げます」とか「残暑の候」「秋の深まりを感じる季節となりました」など時候の挨拶が入ります。主文は、文書やメールの内容そのものです。そして結びには、「秋が深まりゆく季節、お身体にお気を付けてお過ごしください」「寒さの厳

しい折、ご自愛ください」といった文章です。

　これらのビジネス文書の形式は、電子メールが主流になりつつある昨今では、ごく簡単に済ませるようになってきましたが、年配者や取引先の役職者に送る文書では、やはりまだ気を遣います。

　こんな時候の挨拶や結びの挨拶の部分も、ChatGPTなら**月や季節を指定してあげるだけ**で簡単に候補を挙げてくれます。

 6月の時候の挨拶を200字以内で3つ作ってください。

 1. 6月の風が心地よく吹き抜ける季節です。梅雨の雨音に包まれながらも、新緑の輝きと花々の色彩が目を楽しませてくれます。この季節には心を清らかに保ち、自然の美しさに感謝の気持ちを忘れずに過ごしましょう。健やかな6月をお迎えください。

2. 梅雨の6月、雨の日々が続きますが、そんな中でも風情ある日本の文化を楽しむ絶好の季節です。茶道や着物、雨の庭園散策など、日本の伝統を味わいながら、ゆったりとした時間を過ごしましょう。心静かに過ごせる6月でありますように。

3. 6月の梅雨、季節の変わり目に身体や心が疲れやすい時期です。ですが、雨に潤われた大地が輝きを放つように、私たちもこの時期を乗り越えて新たな輝きを見つけましょう。明るい気持ちと元気な笑顔で、6月を活気に満ちた季節としましょう。心からお元気でお過ごしください。

▼日本語メールを英訳させる

　海外の顧客やユーザーに送るメールは、もちろんその国の言葉で作成する必要があります。

　語学が堪能ならいいのですが、苦手な人も少なくありません。翻訳サービスを利用してもいいですが、実はChatGPTのほうがより自然な英文が生成されます。

次のテキストを英訳してください。

#テキスト：

拝啓、お世話になっております。涼しい10月の中、いかがお過ごしでしょうか。お変わりなくお元気でお過ごしいただけていることを願っております。

さて、このたびは弊社の商品をご注文いただき、誠にありがとうございました。ご要望にお応えするため、お届け先には既に商品を発送いたしましたことをお知らせいたします。

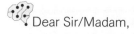Dear Sir/Madam,

I hope this letter finds you well during the pleasant month of October. I sincerely hope that you are doing well and in good health.

Now, I would like to express my heartfelt gratitude for placing an order for our company's product. In order to fulfill your request, I am pleased to inform you that the product has already been shipped to the designated delivery address.

また、日本語のテキストを作成しておけば、これを英訳するだけでなく、下記のようにそのまま中国語にしたり、ドイツ語にしたりと、手軽に翻訳できるのもChatGPTのメリットです。

このテキストを中国語に翻訳してください。

敬启者,

祝您在凉爽的十月过得愉快。衷心希望您一切安好。

这次非常感谢您订购了我们公司的产品。为了满足您的要求，我很高兴

地通知您已经将产品发货至指定的送货地址。

> 📖 **Memo**
>
> 日本語のテキストを作成しておけば、英語だけでなく、中国語やドイツ語
> などさまざまな言語に翻訳できる

▼作成した英文メールの添削をさせる

後述する英語学習でも応用できる方法ですが、ChatGPTに英文を添削
させてみるのも、ビジネス文書作成時には有効な方法です。

ChatGPTはネット内のテキストを学習していますが、その量を比較す
れば、日本語よりも英語のほうが何百倍も多いでしょう。ChatGPTは英
語のほうが得意なのです。

ただし、本書の読者のほとんどの人が、ChatGPTを日本語で利用した
いと考えているでしょう。そこで、ここでは既に作成されている英文の文
書や自分で書いた英文を、ChatGPTに添削させる方法を紹介します。こ
れまで作成して送付していた英文の文書が、実際に間違いがないかどうか
確認しておくといいでしょう。

ChatGPTに英文を添削させるには、次のように英語で指定すればよい
と思っている人も多いでしょう。

「Could you correct my English?（英語を添削してもらえますか？)」

しかし、英語で指定する必要などありません。日本語で構いません。

「次の英文を添削してください」

このように指定し、英文を貼り付けるだけでいいのです。これで貼り付
けた英文をChatGPTが添削し、正しい英文を出力してくれます。

次の英文を添削してください。

英文：

We would like express our sincere gratitude for placing orders. For our company's products. Due to meet your requirements, I am pleased to inform you that the goods have already been shipped to the designated delivery address.

We would like to express our sincere gratitude for placing an order for our company's products. We are pleased to inform you that the goods have already been shipped to the designated delivery address, in order to meet your requirements.

> 📖 **Memo**
>
> ChatGPTに英文を添削させるには英語で指定する必要はなく、日本語で構わない

▼送られてきた英文メールを翻訳する

海外とのやり取りでは、たいていはその国の言葉または英語などが使われます。インターネットの普及によって、紙の手紙や書類よりも、メールでさまざまな文書が届くことのほうが多くなりました。

メールの英文は、実は翻訳には都合がいいのです。メールなら文面をそのままコピーし、翻訳サービスなどに貼り付けるだけで、簡単に日本語に翻訳できるからです。

もちろんChatGPTでも、英文を日本語に翻訳させるのは簡単です。

「日本語に翻訳してください」

このようにひと言指定するだけです。翻訳させたい英文をメールからコピーし、プロンプトに貼り付ければ、あっという間に英文から日本語に翻

訳してくれます。

　メールだけではありません。最近では海外のニュースサイトなどで英文のニュースを読まなければならなかったり、情報収集のために英語で書かれたコラムや評論などにも目を通したりする必要がある、というケースもあります。

　こんなときも必要な箇所をコピーし、ChatGPTに貼り付け、「日本語に翻訳してください」と指定するだけで、次のように、実に簡単に海外のニュースやブログ記事などを読むことができます。

次のテキストを日本語に翻訳してください。
テキスト：
Business titans Apple and Disney could be merging into one gargantuan company, which experts believe will benefit both companies.
（以下略）

ビジネスの巨頭であるAppleとDisneyが、専門家たちが両社に利益をもたらすと考える、巨大な1つの企業に合併する可能性があります。
　（以下略）

▼翻訳した英文メールの概要を要約する

　ChatGPTに貼り付けた英文を日本語に翻訳させれば、海外のニュースや記事などが簡単に日本語で読めるようになりますが、実はもっと便利な方法もあります。

　翻訳のときと同様に、英文のメールや記事をChatGPTに貼り付け、「日本語に翻訳してください」と指定し、さらに「300字以内で要約してください」などと字数を指定します。あるいは、「要点を3つに絞って挙げてください」などと指定してもいいでしょう。これで次ページのように英文を日本語に翻訳することなく、英文の要点だけを日本語で出力してくれます。

次のテキストを日本語に翻訳し、要点を３つに絞って挙げてください。
テキスト：
Business titans Apple and Disney could be merging into one gargantuan company, which experts believe will benefit both companies.

Apple, Inc. and The Walt Disney Co. have a longstanding relationship, personified by the fact that returning Disney CEO Bob Iger was friends with the late Apple founder Steve Jobs.

While Apple and Disney are perceived to be fluttering their eyelashes at each other, any potential merger or acquisition will "almost certainly" be met by pushback and "shareholder litigation," according to one finance attorney. (by Newsweek 2023/07/04)

要点：

1. AppleとDisneyは巨大な会社となる可能性があり、両社に利益をもたらすと専門家は考えている。
2. AppleとDisneyは長い間の関係があり、DisneyのCEOであるBob Igerは故Appleの創業者であるSteve Jobsと友人である。
3. しかし、この潜在的な合併や買収には反対意見や株主からの訴訟が予想されている。

> **❗ 注意‼**
>
> ChatGPTの要約はときどき間違えることがあるので、英文をいきなり要約させるのではなく、まずは日本語に翻訳させた上で要約させたほうが間違いに気づきやすくなる

▼特定の顧客に特別セールの案内文を作る

ビジネス文書やメールをChatGPTで作成するとき、どのような内容の文書を作成するか指示しましたが、ただ「挨拶状」とか「セールのお知らせ」などと指定しても、ChatGPTは間違った内容の文書を生成してしまいます。

その理由は、正確な内容がわからないからです。ChatGPTは、ときどき実際に見てきたようなウソを生成します。「できません」と回答するのではなく、それっぽい回答をするよう訓練されているのでしょう。

正確な回答を求めるなら、**プロンプトにも正確な情報を盛り込んで指示する必要がある**のです。

たとえば、特定の顧客に特別セールの案内文を送りたいときには、次のような情報を指定するといいでしょう。

①作成するメールの目的
②メールや文書を送る相手
③どのようなセールなのかの詳細
④特典

もちろん、セールやイベントの内容、送る相手など、業務によって異なってきますから、自分が必要とするものに合わせて、これらの詳細なデータをカスタマイズして指定します。

これを実際に出力させたものが次になります。

特別セールのご案内という内容で、ビジネスメールを作ってください。
#目的：特別セールへのお誘い
#ターゲット：既存の得意客
#セール内容：新製品発表に伴い、旧製品の大特価
#特典：1万円以上お買い上げのお客様には、新製品の試供品をプレゼント

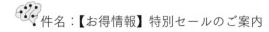 件名：【お得情報】特別セールのご案内

拝啓、○○様

いつもご愛顧いただき、誠にありがとうございます。このたび、弊社から特別なお知らせがございます。

新製品の発表に伴い、旧製品の大特価セールを開催いたします。これまでお客様にご好評いただいた製品をお求めやすい価格でご提供いたしますので、ぜひこの機会にお買い求めください。

セールの詳細をご案内いたします。

【セール期間】
○○月○日（月）から○○月○日（日）まで

【セール内容】
旧製品の大特価販売
・製品A：通常価格の50％オフ
・製品B：通常価格の40％オフ
・製品C：通常価格の30％オフ

また、この特別セールに参加していただくお客様への特典として、1万円以上お買い上げのお客様には新製品の試供品をプレゼントいたします。新製品は最新の技術を駆使し、さらなる快適さとパフォーマンスを追求した製品です。この機会にぜひ体験していただき、ご満足いただければ幸いです。

（以下略）

文章を編集する

推敲にも活用可能

ChatGPTはテキスト生成AIですから、プロンプトで指定したテキスト、つまり文章を作成して出力してくれます。

このテキスト生成機能と同じように、ChatGPTではテキストを編集させることもできます。編集とは、わかりにくい文章を書き換えたり、誤字・脱字を訂正したり、あるいは構成を変更したりするといった作業です。

これらの文章の編集作業は、プロの編集者が行うものといったイメージがありますが、本格的な編集作業までいかなくても、ChatGPTでもある程度の編集が可能です。

▼誤字・脱字を直す

入力されている文章の誤字・脱字は、書いた本人にはなかなか見つけにくいので、第三者の目で確認する必要があります。

そこでChatGPTを利用して、文章の誤字・脱字を訂正してみましょう。本書の冒頭の文章を指定して、ChatGPTで誤字・脱字を訂正させてみました。

プロンプトの指定は、「**文章の誤字、脱字を訂正してください**」と指定し、対象となる文章を記入します。

次の文章の誤字、脱字を訂正してください。
テキスト：
最近のテック業界は、「人工知能」や「AI」の話題で持切です。新聞やテレビでさえ、連日のように「人工知能」や「AI」という言葉が流れています。
　もとも「人工知能」という言葉は、アメリカの計算機科学者ジョン・

> マッカーシーが1956年に米国ダートマス大学で開催された「ダトマス会議」で使用したのが初てとされています。

訂正後の文章：

最近のテック業界は、「人工知能」や「AI」の話題で持ち切りです。新聞やテレビでさえ、連日のように「人工知能」や「AI」という言葉が流れています。

もともと「人工知能」という言葉は、アメリカの計算機科学者ジョン・マッカーシーが1956年に米国ダートマス大学で開催された「ダートマス会議」で初めて使用したとされています。

いくつかの文字で、わざと誤字・脱字を入れてみましたが、これらはすべて訂正されて出力されているのがわかります。

取引先などに送付するビジネス文書は、なるべく間違いの少ない文章で書かれたものにしたいものです。長くなればなるほど間違いをすべてなくすのは不可能ですが、それでもChatGPTにかければ、かなり優秀な編集作業が行えるでしょう。

❗注意‼

ChatGPTが修正・訂正して出力したテキストも、すべてが正確なわけではなく、会社の方針や書き手の好みによっては、ChatGPTが訂正した部分が気に入らないこともある。そのため、やはりChatGPTが出力したテキストを最終的には自分で再び訂正する必要がある

文章の編集作業では、特定の言葉や用語を一定の規則に従って統一しなければならないこともあります。たとえば、「行う」という言葉は「行う・行なう」の２通りの書き方があり、どちらも正しい使い方です。あるいは

コンピュータは「コンピュータ」「コンピューター」と最後を音引きにするかしないか、会社によって異なっています。

　これらの用字・用語の訂正も、使用する用字・用語の規則を指定してあげれば、次のようにChatGPTが一瞬で統一してくれます。

次の文章を規則に従って用語を統一してください。
#規則：
行なう→行う
行なって→行って
コンピュータ→コンピューター
データサイエンス→データ・サイエンス
#テキスト：
　ChatGPTをうまく活用すれば、仕事の中で行っている文書作成が効率化されますが、しかし実際にChatGPTを使ってみる前に、ChatGPTで何が行なえるのか、あるいは何が行えないのかについて、少しだけ知っておいたほうがいいでしょう。何が得意で、何が不得意なのかを知っておけば、無駄な質問が避けられ、効率よく活用できるからです。
　まず、ChatGPTができること。ChatGPTはコンピュータを使ってテキストを生成するAIです。これはデータサイエンスの方法を応用したものです。人工知能チャットボット、会話型AIなどとも呼ばれていますが、簡単にいえば質問を打ち込むと、その質問に対して回答をしてくれる人工知能です。会話型ともいわれるように、この質問と回答は人間同士が会話をしているように進められます。

　ChatGPTをうまく活用すれば、仕事の中で行う文書作成が効率化されますが、しかし実際にChatGPTを使ってみる前に、ChatGPTで何が行えるのか、あるいは何が行えないのかについて、少しだけ知っておいたほうがいいでしょう。何が得意で、何が不得意なのかを知っ

ておけば、無駄な質問が避けられ、効率よく活用できるからです。

　まず、ChatGPTができること。ChatGPTはコンピューターを使ってテキストを生成するAIです。これはデータ・サイエンスの方法を応用したものです。人工知能チャットボット、会話型AIなどとも呼ばれていますが、簡単に言えば質問を打ち込むと、その質問に対して回答をしてくれる人工知能です。会話型とも言われるように、この質問と回答は人間同士が会話をしているように進められます。

▼です・ます調、である調の変更

　ある程度長い文章を書いた後、やはり「です・ます調」のほうがよかったとか、逆に「だ・である調」にしたい、といった要望が出てくることがあります。文章の内容や対象読者によって、さらに書き手の好みによって文末の調子は変わりますが、1つの文書の中ではどちらかに統一するのが一般的です。

　この文体には「です・ます調」と「だ・である調」の2つがありますが、どちらかの文体で書いた文章を、別の文体に変更して統一するのは大変な作業です。

　これもChatGPTなら簡単にできます。**「です・ます調に変更してください」**
「だ・である調に変更してください」 といった指定をするだけです。

次のテキストを「です・ます調」に直してください。
テキスト：
　ChatGPTをうまく活用すれば、仕事の中で行っている文書作成が効率化されるが、しかし実際にChatGPTを使ってみる前に、ChatGPTで何ができるのか、あるいは何ができないのかについて、少しだけ知っておいたほうがいい。何が得意で、何が不得意なのかを知っておけば、無駄な質問が避けられ、効率よく活用できるからだ。
　まず、ChatGPTができること。ChatGPTはテキスト生成AI、あるいは人工知能チャットボット、会話型AIなどとも呼ばれているが、

簡単にいえば質問を打ち込むと、その質問に対して回答をしてくれる人工知能である。会話型ともいわれるように、この質問と回答は人間同士が会話をしているように進められる。

ChatGPTをうまく活用すれば、仕事の中で行っている文書作成が効率化されますが、しかし実際にChatGPTを使ってみる前に、ChatGPTで何ができるのか、あるいは何ができないのかについて、少しだけ知っておいたほうがいいです。何が得意で、何が不得意なのかを知っておけば、無駄な質問が避けられ、効率よく活用できるからです。

まず、ChatGPTができることです。ChatGPTはテキスト生成AI、あるいは人工知能チャットボット、会話型AIなどとも呼ばれていますが、簡単に言えば質問を打ち込むと、その質問に対して回答をしてくれる人工知能です。会話型とも言われるように、この質問と回答は人間同士が会話をしているように進められます。

① 注意‼

文体を変更しても、すべてが正しく違和感のない文章になるとは限らず、テキストによっては変更されずに残っていることもある。そのため、ChatGPTで文体を変更した後、実際に目を通して違和感のある部分は手動で書き直す必要がある

📖 Memo

文体の変更と同じように、たとえば標準語で書かれた文章を関西弁に書き換える、などといったこともできる。ChatGPTはインターネット上のテキストを学習しているので、どの方言にでも書き換えられるわけではないが、一般的な関西弁程度ならChatGPTでもそれほど違和感なく書き換えられる

▼わかりやすい文章に直す

　会社で作成する資料や企画書、報告書などは、その会社特有の用語が使われていたり、専門分野の用語が説明なしに使用されていたりするなど、他の会社や業界、一般のユーザーなどにはわかりにくい文章になりがちです。

　ところが、作成した資料を一般のユーザーや顧客に配布したり、中学生向けに編集し直したりするなど、わかりやすいものにしたいときもあります。自分の研究分野の成果を、取引先の役員に説明するための資料や業界以外の懇親会で配布する資料を作るなど、文章を編集し直す機会も少なくないでしょう。

　会社で文章を書き慣れている人でも、書いたものをもっとわかりやすく、たとえば中学生に配布してもわかるように書き直すといった作業は、かなり骨の折れるものです。こんなときは、ChatGPTにテキストを貼り付け、**「中学生向けにわかりやすく書き直してください」**などと指定すれば、それなりの文章に変更してくれます。

次の文章を中学生にもわかるような文章に書き直してください。
テキスト：
ChatGPTの原理を知れば、人工知能だのAIだのといっても、それほど恐れるほどのこともない、と考える人も多いでしょう。もう何年かすると、もっと高機能になり、さまざまな分野で人間に取って代わる場面や職種も出てくるでしょう。
（以下略）

中学生向けの文章に書き直すと以下のようになります：

テキスト：
ChatGPTというシステムを知れば、人工知能やAIといった言葉が出

てきても、それほど怖くないと思う人も多いでしょう。将来、
ChatGPTはさらに進化し、人々の仕事や場面で代わることもあるか
もしれません。
（以下略）

　ただし、ChatGPTはテキストの内容そのものを理解しているわけでは
ありません。書き直して生成されたテキストは、一部の内容を間違えてい
たり、用語の説明がなかったりすることもあります。出力されたテキスト
は、必ず読み返して手作業で書き直す必要もあるでしょう。
　しかし、それでも最初からすべて手作業で書き直すことを思えば、
ChatGPTを活用したほうがより効率的なのです。

▼漢字にふりがな（ルビ）を付ける

　文章をわかりやすく書き直すだけでなく、文章中に出てくる漢字にふり
がなを付けることも、ChatGPTなら簡単に行えます。
　小学生に配布する文章などには、漢字にルビが振られていたほうが親切
です。学年によって習う漢字も異なっていますから、どの学年でも読める
よう、すべての漢字にルビを振るように指定します。

> 次の文章のすべての漢字にルビを振ってください。ルビは漢字に続け
> てカッコの中に書いてください。
>
> ChatGPTのようなテキスト生成AIを利用すれば、たとえば営業報告
> 書や企画書、広報部門、広告部門などでは文書作成が大幅に効率化す
> る可能性があります。仕事の効率が上がるのです。

ChatGPT（チャットジーピーティー）のようなテキスト生成AI（ア
　ートィフィシャルインテリジェンス）を利用すれば、たとえば営業報
　告書（えいぎょうほうこくしょ）や企画書（きかくしょ）、広報部門

（こうほうぶもん）、広告部門（こうこくぶもん）などでは文書作成が大幅に効率化する可能性があります。仕事の効率が上がるのです。

　ただし、実際にやってみても、ChatGPTは正しく漢字にルビを振ることはできませんでした。ChatGPTは文章を、その内容や言葉として理解しているわけではなく、文字のつながりとして捉えているからでしょう。

　文章によっては、正しくルビを振るケースもありましたが、実際に出力された文章は後からユーザーが手直しする必要があります。

⚠注意‼

一般の書籍のように、漢字の上に小さくルビを表示させる、といったことはChatGPTではできない。ルビは漢字に続けてカッコ内に入力するといった具合に、ルビの振り方そのものも指定しておく必要がある

企画書のフォーマットを作る

イチから文章を作成させる

ChatGPTでは既に作成されている文章を編集し、わかりやすく書き換えたり、文体を変更したりといったことは得意ですが、下記のように**最初から文章を作成させる**、つまり文字通りテキストを生成させることも、もちろん可能です。

ただし、役に立つテキストを生成させるためには、目的やその内容について、それなりに詳細に指定する必要があります。得たい文章を生成させるためには、**1回の指定ですべて出力させるのではなく、ひとつひとつ命令を指定しながら、出力されたものに対してさらに命令を出す、といった操作を続け、試行錯誤していく作業が必要**です。

例として、ChatGPTに新製品の企画を考えさせてみましょう。実は「新製品の企画を考えてください」とChatGPTに指定するだけでも、それなりの製品の企画を出力してくれました。

 新製品の企画を3つ考えてください。

 もちろんです！以下は、新製品の企画アイデアです：

1. スマートホームセキュリティロボット：

この製品は、スマートホームのセキュリティを強化するためのロボットです。センサー、カメラ、AIを搭載し、家の周りを巡回して不審な動きを検知し、所有者に通知します。さらに、リモートアクセス機能を提供し、所有者がスマートフォンを通じてロボットを操作して家の中を確認できるようにします。

（以下略）

ChatGPTの説明によれば、出力した新製品の企画のアイデアは、市場の需要やトレンドに基づいたものだそうです。

　もっとも、無料版のChatGPTは、GPT-3.5という言語モデルを基本としており、2021年9月までのデータを使って学習しているため、市場の需要やトレンドといっても、それなりに古いものです。

▼アイデアを示し、新製品の企画を考える

　自社が開発する新製品の企画やアイデアは、自社がどのような分野の製品を開発しているのか、最近の動向はどうなっているのか、新しい企画や製品にはどのような特長があるのか、といった点もChatGPTに考えさせるためのデータとして必要になります。

　たとえば、最近のネットのサービスの中で、X（旧Twitter）と同じようなSNSを作るとしたらどのようなサービスがいいのか、アイデアを出してみました。

Twitterに置き換わるようなSNSサービスのアイデアを考えてください。また、そのSNSの特長を詳しく説明してください。

新しいSNSサービスのアイデアとして、「SparkConnect」というプラットフォームを考えてみました。SparkConnectは、Twitterに置き換わるような特長を持つ次世代のSNSサービスです。

SparkConnectの特長は以下のような要素があります：

1．トピックベースのコミュニケーション：SparkConnectでは、トピックや興味に基づいてユーザー同士がつながることができます。ユーザーは自分の興味や専門分野に関連するトピックを選択し、そのトピックに関連する情報や会話に参加することができます。これにより、より深いつながりや有益な情報交換が生まれます。

（以下略）

　ChatGPTが出力したアイデアが、そのまま製品やサービスになるわけ
ではありませんが、ひとつのヒントとなることもあるでしょう。

　こうしてChatGPTが出したアイデアのうち、この部分は別のこのよう
に変更したいとか、売れる製品や流行るサービスのために、どこをどう変
更すればいいのか、といった点を続けて指定することで、アイデアをブラ
ッシュアップしていくこともできます。

　ChatGPTはチャットが大きな特長です。ChatGPTが出力したものをそ
のまま使うのではなく、何度も会話のキャッチボールを行うことで、いわ
ばコンピュータを相手とするブレインストーミングが可能なのです。

レポートと提案書

文書のテーマや目的などを明確に指示する

　報告書やレポート、提案書など、業務で作成する書類はたくさんあります。これらの書類には、それぞれフォーマットやひな型などが用意されている場合もありますが、最初からすべて作成しなければならないこともあるでしょう。

　こんなときに面倒なのが、文書の構成を考えたり、書き始めの冒頭部分を考えたりすることです。構成が決まり、どの点から書き始めるかが決まれば、意外とスムーズに文書が作成できたといった経験のある人も少なくないでしょう。

　これらの文書作成時に威力を発揮するのがChatGPTです。ChatGPTに文書の構成を考えてもらえばいいのです。

▼構成を考え、ひな型を作る

　ChatGPTに作成させるのは、どんな文書でもいいわけではありません。**作成する文書のテーマや目的などを明確に指示しなければ**、ChatGPTは適当な文書しか出力しません。

　ただし、実はChatGPTにどのような文書を作成したいかを漠然とながらも指定すると、次のようにちゃんと目的に合ったテキストを出力してくれます。もちろん、自分が作成したかった文書とはさまざまな点で異なっていることのほうが多いのですが、文書のひな型や、作成する文書の構成案として利用してもいいでしょう。

 取引先を訪問した結果の報告書を作成してください。

 ［会社名］

［部署名］
［日付］

件名：取引先訪問結果報告書

尊敬する［上司の名前］様

私、［あなたの名前］は［日付］に、下記の詳細にわたる取引先の訪問を行いました。この報告書では、訪問の目的、結果、および取引先との意義深い議論について報告いたします。

1．訪問の目的：
　　訪問の主な目的は、取引先との関係を深め、弊社の製品/サービスの提供についてのフィードバックを収集することでした。また、新しいビジネス機会を探し、将来のパートナーシップの可能性を検討することも目的としました。
　（以下略）

▼盛り込むデータを指定して生成する

　実際の文書のひな型ではなく、具体的な文書そのものを出力したいときは、**作成する文書のテーマや目的、盛り込むデータ、結論などを事前にプロンプトで指定します**。たとえば、取引先を訪問したときの報告書ではどうでしょう。作成するのは、「取引先訪問の報告書」です。

取引先を訪問した結果の報告書を作成してください。

　プロンプトにこう指定しても、それだけではどんな報告書を作成すればいいのかわかりません。そこで報告書に盛り込むデータを指定します。

取引先を訪問した結果の報告書を作成してください。文書には次のデータを盛り込んでください。

　訪問日時：2023年7月30日

　訪問先：A商事

　担当者：鈴木営業部長

　営業内容：新製品の発売に関する取引のお願い

　訪問結果：製品発売時に300点預け、試しに販売してもらう。販売結果によっては、3カ月後に増量することで話がまとまる。

すると、次のような回答が返ってきます。

【訪問結果報告書】

日付：2023年7月30日

訪問先：A商事

担当者：鈴木営業部長

営業内容：新製品の発売に関する取引のお願い

訪問結果：

私は、2023年7月30日にA商事を訪問し、新製品の発売に関する取引を提案しました。訪問の詳細は以下の通りです。

鈴木営業部長は私を親切に迎え入れ、私たちは新製品について詳細に議論しました。私たちの提案は、製品発売時に300点をA商事に預け、試しに販売してもらうというものでした。販売結果によっては、3カ

月後に追加の製品を供給することで話がまとまることとなりました。
（以下略）

　実際にChatGPTが出力した文書には、感想やそのときの状況なども盛り込まれていました。再三記すように、ChatGPTは平気でウソを生成します。

　これらの感想や状況、実際とは異なる部分などは、生成されたテキストから削除すればいいでしょう。最初から書き始めるよりも、後で不要な部分を削除する作業のほうが効率よくできるはずです。

　生成されるテキストに盛り込むデータをどんどん追加していき、精度の高いレポートに仕上げてもいいでしょう。これなら苦手だった報告書やレポートの作成も、短時間で完成させられるようになります。

特定商品の市場調査の概要

マーケティングに活用する

　報告書や挨拶文のようなテキストを生成させるだけでなく、実は ChatGPTを**マーケティングに利用する**こともできます。利用するというよりも、マーケティング、あるいは市場調査の代わりにレポートを作成させる、といったほうがいいかもしれません。

　ChatGPTはネット上のテキストを学習させているので、業界や企業、商品、サービスなどの動向も学んでいます。これらの知識を総動員して、知りたい分野や製品の市場調査をさせるわけです。

　ただし、無料版のChatGPTは、2021年9月までのデータを使って学習させているため、市場調査を行わせても最新の動向といったものは出てきません。この点を理解した上で、ChatGPTを使って製品や業界などの市場動向の概要を出力させてみれば、仕事に役立つレポートが作成されるはずです。

　レポートを作成させるためには、まずどのような点を調査すればいいのかを聞いてみます。概要が出力されたら、次に細部について聞いていきます。ChatGPTと会話をしながら、詳細なレポートを作成するわけです。

　たとえば、出版業界の市場について聞いてみます。

出版業界の市場を調べたいのですが、どのような点を調べるといいですか？

出版業界の市場調査を行う際には、以下のような点を調査すると役立つでしょう。

1. 市場規模と成長率：出版業界の現在の市場規模と将来の成長見通

　しを把握します。これには出版物の販売総額や業界の収益、読者
　数の推移などが含まれます。

2．セグメントごとの市場：出版業界はさまざまなセグメントで構成
　されています。書籍、雑誌、新聞、学術論文、電子書籍など、各
　セグメントの市場規模と成長率を調査し、各セグメントの動向を
　把握します。

（以下略）

▼レポート細部のテキストを生成する

　ChatGPTの出力では、複数の項目について概要を紹介していました。
そこで最初の項目について、もっと詳しい内容を作成するよう指定してみ
ました。

1番の項目をもっと詳しく説明してください。

市場規模と成長率は、出版業界の現在の市場の大きさと、将来的な成
　長見通しを理解するために重要な要素です。

　市場規模の調査では、出版業界全体の販売総額や収益などのデータを
　収集します。これには、出版物の販売額や売上高、広告収入、出版社
　の収益などが含まれます。これにより、出版業界がどれだけ大きな市
　場であるかを把握することができます。

　（以下略）

　実際にレポートを作成するときも、まず全体の構成を考え、次に細部の
内容を詰めていくでしょう。ChatGPTでもまったく同じです。全体の構
成を出力させ、その中の必要な部分の細部のテキストを作成させます。

　ChatGPTの出力は、箇条書きで回答されることが多い傾向があります。
そこで、「1番についてもっと詳しく」といった指定をするだけで、**指定**

した項目の詳細なテキストを回答してくれます。まさに会話を行うように、ChatGPTに指定するだけでいいのです。そのためには、**同じチャットの中で何度も会話をしていくこと**が重要です。同じチャット内なら、ChatGPTはそれまでの指定や生成したテキストを覚えているからです。

> 👆 **Point**
>
> ChatGPTはそれまでの指定や生成したテキストを覚えているので、同じチャットの中で何度も会話をしていくのがよい

新商品の提案書
使い方を工夫して限りない可能性を秘めたツールにする

　テキスト生成AIには、得意な分野と不得意な分野があります。ネットや資料などを学習させているため、過去のことについては得意ですが、**未来のことについては不得意**です。

　さらに、既に書かれているデータを学習しているわけですから、どこかで書かれていることを組み合わせて出力するのは得意ですが、**AIそのものが考え、創造する**といったことは不得意です。

　ところが実際にChatGPTを使ってみると、まるでChatGPTが考えているかのように、さまざまなアイデアや創造を出力してくることがあります。学習したテキストを組み合わせて出力しているだけですから、実際にAIが思考しているわけではないのですが、それでも生成されたものの中には、仕事に役立つようなアイデアも入っているでしょう。それを活用して、新しい商品や新しいビジネスなどを考えるときにも役立ちます。

　たとえば、あなたが食品業界で働いているとして、新しい弁当のアイデアを考えてみましょう。

弁当屋で販売する新しい弁当のアイデアを出してください。

もちろんです！以下に、新しい弁当のアイデアをいくつか提案します。さまざまなテーマや食材を取り入れていますので、お好みに合わせて選んでいただければと思います。

1. イタリアンフュージョン弁当：ピザ風味のおにぎり、トマトモッツァレラサラダ、ハーブ風味のグリルチキン、バジルソース添えのパスタサラダ、サンドイッチ風のカプレーゼ、デザートにはテ

ィラミスなどを盛り込んだ、イタリアン料理をベースにした洋風の弁当です。

（中略）

5. 和風おつまみ弁当：焼き鳥風味のおにぎり、枝豆と昆布の煮物、唐揚げ風の鶏肉、おろしポン酢の鰆の照り焼き、わさび風味のお刺身盛り合わせ、デザートには抹茶プリンなど、和食のおつまみを楽しめる弁当です。

これらのアイデアがお役に立てれば幸いです。新しい弁当を提供する際には、地域の嗜好や需要に合わせてアレンジすることも考慮してください。素晴らしいメニューの開発をお祈りしています！

ただ「弁当屋で販売する新しい弁当のアイデアを出してください」と指定するだけで、ChatGPTは5つの新しい弁当のアイデアを出力してくれました。

▼新ビジネスの提案や予測

今度はもう少し具体的に指定して、新ビジネスのアイデアを出させてみましょう。どのような業界で、どのような新しいビジネスを立ち上げ、そのビジネスがどの程度の市場規模になるのか、そんなことまで考察してもらいます。

面白いアイデアが出てきたら、そのアイデアを具体的に構成し直せば、新ビジネスの提案書にまでまとめることも可能です。もちろんそれも、ChatGPTで簡単に作成できます。

インターネットで始める新しいビジネスのアイデアを4つ出してください。

もちろんです！以下に、インターネットで始めることができる新しい

ビジネスのアイデアを４つご紹介します。

1. オンラインコンサルティングサービス：自分の専門知識やスキル
を活かして、オンライン上でコンサルティングサービスを提供す
ることができます。例えば、ビジネスコンサルタント、健康コー
チ、ウェブデザイナーなど、特定の分野での専門知識を持つ人々
に対してアドバイスや指導を提供することができます。

（中略）

4. ソーシャルメディアマネジメント：ソーシャルメディアの運用や
マーケティングを専門とするサービスを提供することができます。
企業や個人ブランドのために、ソーシャルメディアプロフィール
の作成やコンテンツの作成・スケジュール管理、フォロワーの増
加戦略などを提供することができます。

これらは、インターネットを活用した新しいビジネスのアイデアの一
部です。各アイデアは、独自のアプローチや市場の需要に合わせてカ
スタマイズできる可能性があります。自身のスキルや興味に基づいて、
これらのアイデアを発展させることができるでしょう。

　ChatGPTは、新しいビジネスのアイデアを４つ、提案してくれました。
どのアイデアもなかなか面白そうですが、新しいサービスだけにちょっと
イメージが湧きません。
　そこで番号を指定して、もう少しどのようなビジネスなのかを聞いてみ
ました。するとChatGPTは、自分が提案したビジネスの中身を、もっと
詳しく説明してくれました。

 4について、もう少し詳しく教えてください

もちろんです！ソーシャルメディアマネジメントとは、企業や個人の

ソーシャルメディアプロフィールの運用やマーケティングを専門とするサービスです。インターネット上のさまざまなプラットフォーム（例：Facebook、Instagram、Twitter、LinkedInなど）を活用して、クライアントのソーシャルメディア戦略を立案し、実行します。
（以下略）

　さらにそのビジネスの予想される市場規模や、立ち上げまでの準備、利益率などについて詳細に聞いていけば、最終的には新規ビジネスの提案書といったものにまでまとめ上げることができるでしょう。
　テキスト生成AIは創造や未来のことが不得意とはいっても、使い方次第では限りない可能性を秘めたツールとなるのです。

プレゼン用スライドの構成と内容

資料作りを10倍速くする

　仕事にChatGPTを活かす方法のひとつに、**プレゼン資料の作成**があります。これまでの方法で、プレゼン資料など問題なく作れる、と考えているビジネスパーソンも少なくないはずです。

　もちろんChatGPTがなくても、これまで通りの手順でプレゼン資料は作成できるでしょう。しかし、ChatGPTを利用すればその資料作りが、これまでの10倍も速く完成する、といったらどうでしょう。ChatGPTを利用するメリットは、まさにこの「仕事の効率化」という点に尽きるといっても過言ではないのです。

　新製品やサービスなどを提案するとき、あるいは会社の紹介、取扱商品の紹介など、パワーポイントなどでプレゼン資料を作成することも多いでしょう。多くの場合、既にプレゼンの内容そのものは決まっていて、パワーポイントでどのような構成にし、どのようなスライドを作ればいいのか、といった点に頭を悩ませていたでしょう。

　この作業は、「○○についてのプレゼンテーション用資料の構成を考えてください」などと指定すれば、次のように簡単にプレゼン資料の構成を生成してくれます。

新規取引先への営業のため、自社の紹介を行うプレゼンテーション資料の構成を考えてください。

営業プレゼンテーション資料の構成は、効果的な情報伝達と相手の関心を引くことを重視する必要があります。以下に、一般的な営業プレゼンテーションの構成例を示します。

1．カバーページ：
　・自社のロゴとタイトル
　・日付と場所
　・プレゼンテーションを行う担当者の名前
　（以下略）

▼プレゼン資料のスライドを作る

　実際に出力された構成は、目的に合わせて手直しする必要があるでしょう。しかし、資料作りは大幅に省力化されたはずです。

　書類だけでなく、この構成でパワーポイントのスライドを作成してみます。ただし、ChatGPTそのものはスライドを作成できないので、どのようなスライドが必要なのかを聞いてみました。

この構成で、パワーポイントのスライドを作成するなら、どんなスライドがいいですか？

以下に、上記の構成に基づいてパワーポイントのスライドを作成する際の提案を示します。これは一般的なガイドラインであり、特定の業界や目的に応じてカスタマイズすることが重要です。

スライド1：カバーページ
・プレゼンテーションのタイトルと会社名を表示
・ロゴや鮮明な背景画像を使用してブランドイメージを強調
（中略）
スライド10：結論
・プレゼンテーションのまとめと感謝の気持ちを伝える
・再度、連絡先情報や次のステップについて確認

各スライドでは、テキストを簡潔にし、ビジュアル要素（写真、アイ

コン、グラフ、チャートなど）を活用して情報を視覚的に伝えること
が重要です。また、一貫性のあるデザインテンプレートやカラースキ
ームを使用すると、プロフェッショナルな印象を与えます。必要に応
じてトランジションやアニメーションを使用し、プレゼンテーション
を活気づけることもできます。

10枚分のスライドの候補とその内容が回答されました。これを参考に、
スライドの内容やキャプションなどを決めていきます。

　最終的に出力されたスライドの内容に合わせ、後述する画像生成AIな
どを利用して、スライドそのものを作成してしまえば、これでプレゼン資
料の完成です。従来の方法と比べても、大幅な効率化が可能でしょう。

交渉・法務文書を作成する

法律の専門家として活用する

　仕事ではさまざまな書類が必要になりますが、それらの書類は法務部のような専門的な部署で作成している企業も多いでしょう。しかし、中小企業などには専門部署がなく、その都度社員が自分たちで作成していることも少なくありません。

　また、既にひな型があり、それらを流用して必要な書類を作成している、といったケースもあります。業界によっては、必要な書類のひな型が市販されていることもあります。

　これらの法的な書類は、慣れていない人にとってはどのように作成すればいいのか、盛り込むべき必要事項は何なのか、さらにどのような言葉や用語で記載すればいいのか、それらのことさえ判然としません。そのために企業では法務部などの部署を設置しているのですが、会社によっては仕事や作成すべき書類によって、その都度、弁護士や司法書士などに相談・発注しているところもあるでしょう。

　専門的な法的書類を最終的にChatGPTで作成するのはリスクが高過ぎますが、その下書きなどは既に任せられる段階にきています。法的書類とはいっても、特に一般的な書類なら、ChatGPTでも十分です。

　たとえば、出版契約書をChatGPTで作成してみましょう。

　作成されたものは、契約書に盛り込む要素です。これらの要素を吟味することで、契約書のたたき台として、あるいは下書きとして、参考にしてみるといいでしょう。

　出版契約書を作成してください。

　私は法的なアドバイスを提供することはできませんが、出版契約書の

一般的な構造と一部の重要な要素を示すことはできます。ただし、出版契約書は契約当事者の特定の要件に合わせて調整される必要がありますので、専門の法的助言を受けることをお勧めします。以下は、一般的な出版契約書の要素の一部です。

[出版契約書の見出し]
1. 当事者の詳細：出版社の情報と著者の情報を含めます。
2. 契約の範囲：出版物の詳細な説明、出版形式（印刷物、電子書籍など）や権利の範囲を明記します。
（以下略）

▼法務文書の下書きを作成する

　契約内容や条件などをもう少し詳細に指定すれば、ChatGPTはもっと具体的な法的書類を生成してくれます。

　たとえば、雇用契約書を作成してみましょう。雇用契約書は、企業と従業員との間で結ばれる契約で、ほぼすべての会社が作成・利用しています。そのため、ChatGPTの学習データとしても多くの実例が利用されていると思います。「雇用契約書を作成してください」と指定するだけで、次のようによく見かける雇用契約書が生成されました。

雇用契約書を作成してください。

もちろんです。以下に、雇用契約書の一例を示します。ただし、重要なことは、法的なアドバイスを受けることです。以下の例は一般的なガイドラインですが、具体的な要件や地域の労働法に従うように変更する必要があります。以下のテンプレートを使用して、雇用契約書を作成することができます。

【会社名】

雇用契約書

この雇用契約（以下「本契約」という）は、以下の条件に基づいて、以下の労働者（以下「従業員」という）と【会社名】（以下「会社」という）との間で締結されます。

1. 雇用の開始日と職位
　　本契約は、【従業員の氏名】が【雇用の開始日】から労働者として会社に雇用されることを定めています。従業員は、【職位】の職務を遂行する責任を負います。
（中略）
7. その他の条件
　　（ここにその他の条件を追加してください。例えば、保険、福利厚生、昇進の条件、評価の基準など）
（以下略）

⚠️ 注意‼

生成されたものを見ると、「条件を追加してください」と書かれた部分もある。会社によってその部分の数値や条件、文言などが異なるため、それらの部分は自社に合わせて追加・訂正する必要がある

📖 Memo

全体的に見て過不足ないような印象を受けても、実際には不足している部分がある可能性がある。そのため、ChatGPTが生成した法務文書は、そのままの形では利用できない。加筆・訂正したら、必ず法務や司法書士などに最終的に確認してもらう必要がある

▼サービス提携の利用規約を作成する

仕事によっては、他社と業務提携したり、ユーザーと使用契約書を結ん

だり、さらにサービス利用規約やプライバシーポリシーといった文書が必要になることもあるでしょう。

もちろんこれらの書類も、ChatGPTでひな型を作成したり、テンプレートを作成したりといったことが可能です。

ここではWebで提供するサービスの、利用者へのサービス利用規約を作成してみます。

Webサービスのサービス利用規約を作成してください。

サービス利用規約

このウェブサービス（以下、「本サービス」と称します）を利用する際には、以下の利用規約（以下、「本規約」と称します）に同意していただく必要があります。本規約は、本サービスの提供者（以下、「運営者」と称します）と利用者との間の法的な関係を定めるものです。本サービスを利用することにより、利用者は本規約のすべての条件に同意したものとみなされます。したがって、本サービスを利用する前に、本規約をよくお読みください。

1．利用者の責任
1.1 利用者は、本サービスを利用するにあたり、適用される法律および規制を遵守する責任を負います。
（以下略）

サービス利用規約のような書類は、他の企業やサービスの利用規約を参考にして、自社のサービスに合わせてカスタマイズしていくのが一般的です。

あちこちの企業の利用規約を参照し、自社のものを作成するのは大変な作業になりますが、ChatGPTを使えば一般的な利用規約が簡単に生成さ

れます。これをカスタマイズすればいいわけですから、面倒な法的書類の作成が大幅に効率化するはずです。

▼ユーザーに対する法的通知書を作成する

　利用規約に違反した顧客やユーザーには、警告書や法的通知書を発送することもあるでしょう。これもケース・バイ・ケースで、どの規約に違反しているのか、違反状態が続くとどうなるのかということを盛り込み、通知書を作成しなければなりません。

　面倒な作業で、専門部署でもなければあまり手を付けたくない作業ですが、ChatGPTに任せてしまえば心理的な抵抗も減るのではないでしょうか。

　実際に法的通知書を作成するときは、自社の商品やサービスの利用規約を読み込ませ、その規約のどこに違反しているのかを指定し、通知書の作成を指示します。そのためには、利用規約そのものがデータとして手元にある必要がありますが、ChatGPTで作成すればデータそのものが残っているので、通知書の作成時に活用できます。

　なお、法務文書については、厳密さが求められるものです。ChatGPTは平気でウソ回答をしますが、**法的書類でも平然と間違ったことを記載したりします。**

　2023年6月には、米ニューヨーク州の弁護士がChatGPTを使って作成した法的文書を提出したところ、文書内で引用していた司法見解がウソだったことで多額の罰金を言い渡されたという事件もありました。

　ChatGPTがウソをつくことを理解していれば、たとえChatGPTで作成した文書でも、最終的には人間が厳密に吟味し、正しいかどうか判断できます。現状ではこの点をよく理解した上で、ChatGPTを利用すべきなのです。

ネーミングの候補を出す

アイデアのたたき台を出させる

　企業の広報や広告部門でも、作成する文書は膨大な量になるものです。特に広報では、新製品のニュースや業界への報告、ユーザーへの告知、企業の経営動向の報告など、さまざまな場面で文書を作成しなければなりません。

　この「文書を作成する」という作業こそ、ChatGPTの得意分野です。たとえば、新製品を発売するときのニュースリリースなら、条件を指定することで指定した文字数のニュースリリースが生成できます。

　ニュースリリースには、盛り込むべき内容がある程度決まっています。これらの情報やデータといったものを、**なるべく具体的に記載して追記しておく**ことで、ChatGPTはより精度の高いテキストを生成してくれます。

　プロンプトには、次のようにニュースリリースの作成、文字数、データなどを指定します。ただし、ChatGPTでは指定しても正しい文字数で生成してくれないことも多いですから、後から手直しが必要でしょう。

下記のリリースの詳細をもとに、新製品発売のニュースリリースを800字以内で作成してください。
#リリース内容
新製品「クマちゃんマクラの発売」
#リリースの詳細
・10月1日より当社新製品「クマちゃんマクラ」を発売します
・クマちゃんマクラの大きな特長は、大型のマクラで、まるでクマに包まれたような快適さで安眠できる点です
・マクラの表面には、子どもにも安心な素材を使用
・暑さ対策のため、内部には空気の通風孔を設けています

- ・価格は8,900円
- ・全国デパート、寝具店で発売

 【ニュースリリース】

新製品「クマちゃんマクラ」が、10月1日より当社から発売されます。

クマちゃんマクラは、大型のマクラで、まるでクマに包まれたような快適さで安眠をサポートします。特筆すべき特長として、その大きなサイズが挙げられます。このマクラに頭を預けると、クマのぬいぐるみに包まれたかのような感覚を味わえるでしょう。

子どもたちにも安心して使用できるよう、クマちゃんマクラの表面には安全な素材を採用しています。大切なお子様が心地よく眠りにつけるよう、配慮しました。

（以下略）

▼広告コピーの候補を10本出す

　商品の発売やサービスのリリースなどで広告を出すこともあるでしょう。通常なら広告代理店に依頼して広告を作成してもらうことになりますが、広告部署や中小企業の場合は、自分たちで考えなければならないこともあるでしょう。

　創造的なものを作成するのは、ChatGPTは苦手だと思われていますが、**少なくともアイデアのたたき台として、あるいは方向性を決める取っ掛かりとして、ChatGPTを利用する**のもありです。

　前項の「クマちゃんマクラ」の広告コピーを考えてみましょう。広告コピーの方向としては、たとえば雰囲気を出すもの、機能を強調するもの、流行させるためのキャッチーなものなど、いろいろと考えられますが、取りあえず何も制限せず、コピーを10本出させてみました。

商品内容を参考に、「クマちゃんマクラ」のキャッチーな広告コピーを10本作ってください。
#商品内容
・10月１日より当社新製品「クマちゃんマクラ」を発売します
・クマちゃんマクラの大きな特長は、大型のマクラで、まるでクマに包まれたような快適さで安眠できる点です
・マクラの表面には、子どもにも安心な素材を使用
・暑さ対策のため、内部には空気の通風孔を設けています
・価格は8,900円
・全国デパート、寝具店で発売

1．「クマちゃんマクラ」で、クマのぬくもりと快眠を手に入れよう！
2．新登場！クマちゃんマクラで夢心地の眠りを体感しよう！
3．大好評予想！クマちゃんマクラが遂に発売開始！
4．豪華なクマちゃんマクラで、至福の眠りを手に入れるチャンス！
5．快適さと安眠を追求した、クマちゃんマクラが遂に登場！
6．クマに包まれたようなぬくもり！クマちゃんマクラで最高の睡眠を。
7．子どもにも安心な素材で、愛らしいクマちゃんと一緒にぐっすり眠ろう！
8．暑さも快適解消！クマちゃんマクラの空気通風孔で一夏を乗り切ろう！
9．価格は驚きの8,900円！クマちゃんマクラで贅沢な睡眠を手に入れよう！
10．全国のデパートや寝具店で、クマちゃんマクラがいよいよ販売スタート！

なお、指定した条件はニュースリリースを作成したときと同じものです。あまり使えそうなものはありません。ただ、何となくどんなコピーがい

いのか想像できるかもしれません。

　ChatGPTが作成したコピーを実際の広告に使用することなど、まずあ
りません。ChatGPTが生成したコピーをもとに、もっとどのようにすれ
ばいいのかを何度も会話しながらブラッシュアップしていきます。ときに
は、まったく関係ない商品のコピーを作らせてみて、それを参考にするこ
ともあるでしょう。ChatGPTは**正解を回答させるのではなく、アイデア
や素材、下書きといったものを作成させることで、その後の作業を効率化
させるツール**なのです。

日報や報告書を一瞬で作る

テンプレートを作成する

　必要な文書は事務部門が作成し、自分たちはあまり文書を作成すること
はない、といった部署もあるでしょう。営業や販売のような部署では、そ
んなケースも多いようです。

　しかし、取引先や顧客などに配布する文書ではなく、日報や報告書のよ
うな文書を作成する機会はあるでしょう。特に出張などに出たときは、報
告書を求められることも多いはずです。

　それほど文書を作成する機会は多くないから、そのたびに最初から作成
しているとか、日報のように決まったフォーマットがあり、それに記入し
ている、といったケースもあるでしょう。そんなときもChatGPTが役立
ちます。

　たとえば日報です。毎日の終業時に簡単な日報を記入するといったケー
スなら、まずChatGPTを使って日報のフォーマットを作ってしまいまし
ょう。一般的な日報に記載する項目は、時間、訪問先、用件、面談者、内
容といったものです。さらに自分の名前や日報の記録日などを記入する欄
も必要でしょう。

　そこでChatGPTで日報のテンプレートを作成します。

▼日報のテンプレートを作る

　日報のテンプレートを作成するには、プロンプトに次のように指定しま
す。

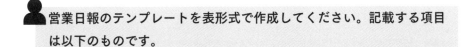

営業日報のテンプレートを表形式で作成してください。記載する項目
は以下のものです。

```
#記載項目：
・時間
・訪問先
・面談者
・用件
・内容
・次回訪問
```

以下は営業日報の表形式のテンプレートです。

時間	訪問先	面談者	用件	内容	次回訪問

このテンプレートを使用して、営業日報の詳細を記入してください。

このプロンプトでは、出力を表形式にするよう指定しています。ChatGPTではテキストを生成させるだけでなく、これを**表形式にして出力させることもできる**のです。

生成された表はごく簡単な表ですが、必要なら報告者名や記録日、押印欄などを追加してもいいでしょう。これを日報のテンプレートとして、以後は毎日の記録に活用してみるといいでしょう。

▼会話をしていくだけで日報が出来上がる

日報を簡単に作成するためには、ChatGPTの特長である**会話方式を最大限活用してみる**のもいいでしょう。

たとえば、次のように日報作成を指定します。

営業日報を表形式で作成します。必要事項をひとつずつ聞いてください。

　するとChatGPTは、日報を作成するための必要項目を順に質問してきます。最後の質問まで答えると、日報が表形式で表示されます。

　ChatGPTはその名の通り、会話しながら最終的にテキストを生成するAIです。この会話機能を活かし、プロンプトで「**必要事項を聞いてください**」と指定すれば、最終的に作成するテキストに必要なデータを聞いてきます。この質問に答えるだけで、最後には必要なテキストが生成されるのです。

　部下や上司と会話しているような感じで、質問に答えるだけでテキストが生成されるのが、ChatGPTの大きな特長なのです。この機能を活かすことで、さまざまなテキストの作成が効率よく行えるようになります。

資料を要約する

文字数制限を設けておくとよい

　新製品の企画を考えたり、営業戦略を練ったり、あるいは経営方針を考えたり、企業ではさまざまな書類を作成する必要があります。これらの書類を作成するとき、事前の準備として資料やデータを読むことも多いでしょう。

　最近はこれらのデータや資料が、そのまま電子的なデータとして保存されていたり、あるいはネットに掲載されていたりすることも多くなりましたが、データとして手元にあれば、ChatGPTを利用して資料を要約させることも簡単にできます。

　必要なのは、ChatGPTに要約させる資料だけです。この資料をプロンプトに貼り付けて要約するよう指定すれば、ChatGPTが資料の内容を読み、要約してくれます。

　なお、要約させるときは「500字以内で」「200字から600字以内で」という**文字数制限を加えておく**といいでしょう。ChatGPTは指定した文字数を厳密には守ってくれませんが、おおよそ指定した文字数で要約を出力してくれます。

　なお、ChatGPTのプロンプトで指定できるのは、無料版では漢字を含む日本語で2,000〜4,000文字程度です。あまり長いデータなどは読み込めませんから、何回かに分けて指定する必要があります。

▼海外資料を翻訳して要約する

　日本語の資料や文献なら、ざっと流し読みをして要点をまとめることは苦にならない人もいるでしょう。

　では、海外の資料はどうでしょう。英語の文献や中国語のニュース記事、あるいはフランス語やスペイン語で書かれた文献はどうでしょう。語学に

堪能な人でも、４カ国語や５カ国語を自由自在に操れる人は稀です。

　ところがChatGPTを活用すれば、それも可能なのです。外国語で書かれた記事を要約したところで、その要約を読むことに苦労する……。心配いりません。海外の文献やデータ、ニュースなどは、プロンプトにデータを貼り付け、要約させ、日本語に翻訳させて出力させればいいのです。これなら日本語の要約文を読むだけで、おおもとの海外の文献やニュースの要点を把握できます。

　プロンプトでは、次のように指定するだけです。

以下のテキストを500字で要約し、日本語に翻訳して表示してください。

アンケートを作成する

アンケートの形式を指定することが重要

　新しい商品を開発したり、サービスを改善したりするとき、市場調査やユーザーの満足度などの調査を行うこともあるでしょう。また、ユーザーの声が知りたくてアンケート調査を実施したい、ということもあります。

　こんなときには、アンケートにどのような質問項目を設定すればいいのか悩みます。これもChatGPTに質問し、アンケート項目を作成してもらいましょう。

▼アンケート案を出す

　たとえば、新しく発売した歯磨き粉の満足度のアンケート調査をしたいときには、プロンプトに次のように指定します。

新製品の歯磨き粉を使用した消費者に、使用感のアンケート調査を行いたいと思います。アンケートの質問項目を10個考えてください。

　アンケート調査ですから、実際に使用したときのユーザーの感想を集めたいでしょう。また、最終的には商品に満足したかどうか、不満な点はどこなのか、といったことも引き出せれば成功です。

　そのための質問項目をChatGPTに考えてもらうわけです。作成されたアンケート項目を見て、必要なものは残し、不要なものは削除して、何度かやり取りすることで、適切なアンケートを作成します。

　アンケートには○×式で回答するものと、自由形式で回答するものなど、いくつかの形式があります。どのような形式のものがいいのかは、アンケートの質問によっても異なってきます。また、アンケートの目的に合わせて質問形式を変更するといいでしょう。

　特に○×式の回答の場合、集計も出しやすいので、大人数のアンケートを実施するときに向いています。自由に記述してもらう形式のアンケートでは、記入された文章を評価する作業が必要で、集計にも時間がかかるものです。

　これらの集計時のことも考慮して、何度かChatGPTとやり取りしながら、**作成・集計しやすいアンケートを作成してみる**といいでしょう。

Chapter 5

分野別ChatGPT活用法
──プログラミング編

GPT

プログラミングを効率化する

即座に正しく動作するプログラムを生成する

　ChatGPTはテキスト生成AIだから、文章を作成することに特化したAIだろう、とほとんどのユーザーは考えています。

　もちろん、それで正解なのですが、実はテキストの中には日本語の文章や英語の文章といった、いわゆる文章そのものの他に、プログラムも含まれています。コンピュータで動作するプログラムは、人間が理解できる言語で書き、それをパソコンが理解できるようにコンパイラというソフトウェアでコンピュータが実行できる形式に変換し、それによってコンピュータ内でプログラムが動作するわけです。

　あるいはインタプリタといって、やはり人間が書いた命令を逐次解釈しながら実行するプログラムもあり、こちらもまたプログラミング言語という人間が理解できる言葉で書かれています。

　つまり、プログラムのおおもとはプログラミング言語で書かれており、書かれているものは文字、テキストそのものなのです。ChatGPTはテキストを生成しますが、その中にはプログラムも含まれているのです。

　しかもChatGPTは、インターネットに蓄積されているテキストやデータなどを学習しています。ネット上にはさまざまなプログラムのサンプルなどが掲載されていますが、それらを学習しているためか、**簡単なプログラムなら即座に正しく動作するプログラムを生成してくれる**のです。

　プログラミング初心者にとっては、ChatGPTは分厚い参考書よりも頼りになるものでしょう。プログラマーにとっては、自分の仕事を脅かす危険な存在となるかもしれません。

　もちろん、ChatGPTが生成するプログラムの中には間違いもあり、動作しないものも少なくありません。しかし、**ChatGPTが生成したプログラムを動かし、不具合があればこれを調べて訂正させ、さらに動くプログ**

ラムに改造していくことも可能です。ChatGPTはプログラミング初心者やプログラマーにとって、実は大いに役立つツールといってもいいのです。

▼簡単なプログラムを作成する

　実際にChatGPTを使って、動くプログラムを作成してみましょう。プログラムを作成するには、プログラミング言語という特殊な言語を利用します。このプログラミング言語には、古くはBASICから、C言語、JavaScript、Python、Javaなどさまざまなものがありますが、ここでは実際に動かすのが簡単なJavaScriptを使ってみましょう。

　作成するプログラムは、たとえばWebページ上で日時を表示するといったごく簡単なプログラムにしてみましょう。プロンプトで次のように指定するだけです。

> JavaScriptで日時を表示するプログラムを作成してください。

　生成されたテキストの中には、コードが記載された欄があります。この部分が、ChatGPTが作成したプログラムコードです。

　コードの右上には、「Copy code」と書かれたアイコンがあります。このアイコンをクリックすると、パソコンのクリップボードにコードだけがコピーされますから、エディタソフトなどを起動してコードを貼り付け、このファイルをブラウザで読み込んでプログラムを実行させます。

　ただし、実はこのままではJavaScriptのプログラムは動作しません。JavaScriptはWebページ上で動作するプログラムを作成するためのプログラミング言語ですが、**実際に動作させるためにはWebページを表示する形式にする必要があるため**です。Webページを表示するためには、HTMLというマークアップ言語を使ってページを記述する必要があります。

　HTMLがわかっていれば、ChatGPTが作成したJavaScriptのコードを貼り付けてHTMLページのファイルを作成し、プログラムを動作させてみればいいのですが、HTML言語に詳しくない場合や、少し面倒だというのな

クリックすると、パソコンのクリップボードにコードだけがコピーされる

日時を表示するプログラムを作成してみた

らば、これもChatGPTに頼んでしまいましょう。

　表示されたコードを、やはり右上の「Copy code」ボタンをクリックしてコピーし、エディタなどに貼り付けて、.htmlという拡張子のファイルとして保存します。これで完成です。

　保存したファイルを、ブラウザにドラッグ＆ドロップするか、またはブラウザの「ファイルを開く」メニューで開くと、ページ内に日時が表示されました。

　ChatGPTに作成したいプログラムの動作を指定し、コードを生成したら、このコードを実行できるようHTML形式で表示させました。生成されたコードをコピー＆ペーストしてファイルに保存し、これを実行しただけです。これだけでプログラムが完成してしまうのです。

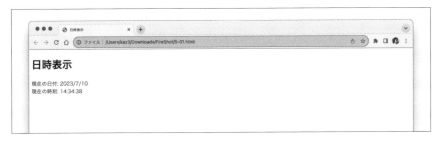

ブラウザのページに日時が表示された

　ChatGPTを利用すれば、誰でも簡単にプログラムが作成できると記したのが、大げさではないことがおわかりでしょう。

> 👆 **Point**
>
> ChatGPTを使えば、プログラムコードを作成してくれるだけでなく、Webページを表示するためのマークアップ言語まで書いてくれる

▼プログラムのバグを見つける

　ChatGPTを利用して作成したプログラムが、実際には正しく動作しないケースも少なくありません。プログラムを動作させるための環境が整っていなかったり、コード内に間違いがあったり、原因はさまざまです。

　実際にプロのプログラマーが作成したプログラムでも、うまく動作しないことはよくあります。コード内に記述したコードが間違っていたり、変数名のスペルミスなど、何らかの間違いでプログラムが誤動作したり動かなかったりするのです。

　これらのミスを「プログラムにバグ（虫）がある」などと表現し、ミスを探して訂正することを「バグ取り」などともいっていますが、**このバグ取りもChatGPTでやってみましょう。**

　プロンプトでコードを指定し、「正しく動作するように直してほしい」と指示します。

　JavaScriptで作成したカレンダーがうまく表示されないため、「コードを

貼り付けて正しく動くように直してほしい」と指示しました。すると
ChatGPTは、次のようにコードのどの部分に間違いがあるのか表示して
指摘し、それをどう訂正すればいいのか正しいコードも表示してくれまし
た。

次のプログラムが正しく動きません。直してください。
＃コード：
〈!DOCTYPE html〉
〈html〉
〈head〉
　〈title〉カレンダー〈/title〉
　〈style〉
　table {
　border-collapse: collapse;
　}
（中略）
　〈div id＝"calendar-container"〉
　〈div id＝"current-month"〉〈/div〉
　〈div id＝"calendar"〉〈/div〉
　〈/div〉
（以下略）

このプログラムにはいくつかの修正が必要です。

１．`〈div id＝"calendar"〉〈/div〉`の直前に`〈/div〉`タグが閉じ
られていないため、追加する必要があります。

修正後のコードは以下のようになります。

（以下略）

　訂正されたコードをコピーして実際に動かしてみると、正しく動きました。プロンプトに記入できる文字数が限られているため、長いコードを貼り付けて間違っている部分を訂正させることはできませんが、そんなときには**コードを必要箇所で区切って貼り付ける**などの工夫をしてみるといいでしょう。

　ChatGPTを利用すれば、これまで面倒で時間がかかっていたプログラムのデバッグ（バグ取り）が、数秒でできるようになります。ChatGPTは文書を作成するだけでなく、プログラミングにも大きな威力を発揮してくれるのです。

> **👆 Point**
>
> ChatGPTを使えば、コードの誤りも簡単に指摘してくれて、かつ正しいコードも表示してくれる

▼Excelの関数の使い方を調べる

　ChatGPTを利用すれば、プログラミングも簡単に行えて、初心者でも一人でプログラムが作成できるようになります。確かに便利な機能ですが、プログラミングは必要としない人も少なからずいるでしょう。しかし、そんな人でも、普段仕事に使っているExcelが、ChatGPTならもっと便利に活用できるといったらどうでしょう。

　経理や会計部門以外でも、Excelを仕事に利用している人は多いでしょう。報告書や提案書といった資料に、Excelで作成した表を添付したり、データ分析にExcelを活用したりしている人も少なくありません。

このExcelですが、ただ数値を計算するだけでなく、さまざまな関数を利用して複雑な計算や分析ができますが、どの関数や機能を使えばいいのかすぐには思い出せないこともあります。あるいは、以前作成して動作しているマクロが、どのような機能なのか忘れてしまった、といったケースもあるでしょう。

　こんなとき、これまでならExcelのヘルプを参照したり、ネットで検索して使い方を調べたりと手間がかかっていましたが、こんな作業もChatGPTに質問すれば的確な答えを即座に返してくれます。

　たとえば、LOOKUP関数の機能と使い方、セルの指定方法などをChatGPTに聞いてみましょう。

LOOKUP関数の機能と使い方を教えてください。

LOOKUP関数は、指定した値を持つセルを検索し、対応するセルの値を返すExcelの関数です。LOOKUP関数にはいくつかのバリエーションがありますが、ここでは最も一般的な2つのバリエーションについて説明します。

1．VLOOKUP関数（垂直検索）
　　VLOOKUP関数は、指定した値を持つセルを垂直方向に検索し、対応するセルの値を返します。VLOOKUP関数の一般的な構文は以下の通りです：

```scss
VLOOKUP(検索する値，検索範囲，返り値の列番号，［近似一致］)
```

（以下略）

　かなり詳しい解説が返ってきました。いくつか構文が書かれており、「Copy code」ボタンをクリックすれば、そのままクリップボードにコピ

ーもできます。

　Excelで関数を調べたいとき、使いたい関数がわかっていればヘルプを参照したり、Googleで検索してみたりすることもできますが、多くの場合は自分がやりたい機能を実現するためにはどの関数を利用すればいいのかといった点が疑問です。こんなときも、**どのようなことを実現するためにはどの関数を使えばいいのか**を、ChatGPTに質問してみるといいでしょう。

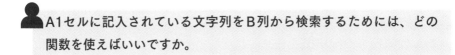

A1セルに記入されている文字列をB列から検索するためには、どの関数を使えばいいですか。

A1セルに記入されている文字列をB列から検索するには、VLOOKUP関数を使用します。VLOOKUP関数は、指定した値を検索範囲内で見つけ、関連するセルの値を返すためのものです。

以下はVLOOKUP関数の基本的な構文です。

```scss
VLOOKUP(検索する値，検索範囲，返す列のインデックス，［近似一致］)
```

（以下略）

　回答には利用する関数と、その詳しい使い方の解説が書かれています。ChatGPTとExcelの組み合わせで、実はさまざまなことが可能になります。これについては次章で詳しく解説します。

ChatGPTの回答がわからないときは、「Excelの初心者向けに解説してください」と指示すればもっと簡単に回答してくれる

Webサイトを作る

まったくの初心者でも手軽に作成ができる

　仕事でWebページを作成するよう命じられたら、うまく作れる自信はありますか。会社が自社のサイトを持つのは、今では当然のことですが、商品やサービスによって独自のサイトやページを作成することもあります。

　そんなWebページの作成を任せられたらどうでしょう。ネットで検索したり、Webページ作成用の参考書を開いたりと、インターネットやWebについてあまり詳しくなければ、Webページを作成するのは大変な作業です。

　こんなときこそ、ChatGPTを利用してみましょう。Webページは、ページそのものはテキストで記述されているので、ChatGPTの得意分野です。

　最初に、どのようなWebページを作成したいのかを具体的に指示します。たとえば、次のようなプロンプトが考えられます。

> 会社のWebページを作成します。次の条件で作成してください。
> #サイト名：hoge書店
> #フッター：コピーライト表記

了解です。hoge書店のWebページを作成するために、以下の条件に基づいて作業を進めます。

1．サイト名：hoge書店
　Webページのヘッダーに「hoge書店」というタイトルを表示します。タイトルは目立つ位置に配置し、読みやすいフォントを使用します。
2．メニュー：
　ページの上部にメニューバーを配置します。メニューバーには、

以下の項目を含めます。
・ホーム：hoge書店のトップページにリンクします。
・書籍一覧：hoge書店で扱っている書籍の一覧を表示するページにリンクします。
・お問い合わせ：顧客からのお問い合わせを受け付けるためのフォームページにリンクします。
（以下略）

　ChatGPTはどのようなページを作成するか、回答しています。タイトルをどうするのか、メニューをどうするのか、さらにメニューに含めるお知らせや問い合わせへのリンクを設定するといいとの提案もあります。
　ただし、これではどのようなページにするのかというアイデアだけで、実際にはページが作成されません。そこで**Webページのコードを表示するよう**指定しました。

ここまでのコードを表示してください。

申し訳ありませんが、私はテキストベースの応答しか提供できませんので、直接コードを表示することはできません。ただし、一般的なHTMLとCSSの知識を活用して、hoge書店のWebページを作成するためのコードの例を提供できます。

以下に、hoge書店のWebページを作成するための基本的なHTMLとCSSの例を示します。このコードは、参考として使用できますが、デザインや具体的な要件に応じてカスタマイズする必要があります。

```
<!DOCTYPE html>
<html>
<head>
    <title>hoge書店</title>
    <style>
        /* CSS スタイルをここに追加 */
        /* 例: メニューバーのスタイル */
        nav {
            background-color: #333;
            color: #fff;
            padding: 10px;
        }
```

（以下略）

　すると提案されたページを表示するコード、WebページですからHTMLとCSSの例を表示してくれました。このHTMLを、「Copy code」ボタンをクリックしてファイルに貼り付けて保存します。ファイル名はトップページですから、一般的には「index.html」としておけばいいでしょう。もちろん、必要なら別のファイル名でも構いませんが、拡張子はhtmlにします。

　会社名や著作権表示を指示しただけで、どのようなページがいいのかChatGPTが提案してくれました。提案されたページのHTMLをファイルに保存し、ブラウザで開いただけで、次ページのようにちゃんとWebページらしいページが表示されました。

　続けて、ページに盛り込む内容や画像、色などを指定してあげれば、Webページがどんどん盛りだくさんのページになっていくでしょう。ChatGPTを利用すれば、まったくの初心者でも手軽にWebページが作成できるのです。

👆 Point

どのようなWebページを作成したいのか、具体的に指示して作成したページに盛り込みたい内容や画像、色などを指定すれば、より盛りだくさんのWebページが作成できる

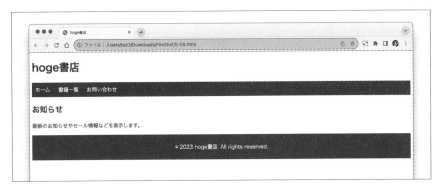

実際に作成されたページ

▼Webページのコンテンツを作る

　実際にWebページに表示するコンテンツを、ChatGPTを利用して作成してみましょう。たとえば、前項で作成した会社のトップページに、会社の写真を貼り付けてみます。プロンプトには次のように指定しただけです。

> **<h1>タグの会社名の背景に写真を掲載します。写真のファイル名は hoge.jpgです。**

了解です。hoge書店の会社名の背景に写真を掲載するために、HTMLとCSSのコードを以下のように変更します。

```
<!DOCTYPE html>
<html>
<head>
    <title>hoge書店</title>
    <style>
        /* スタイルの定義 */
        body {
            font-family: Arial, sans-serif;
            margin: 0;
            padding: 0;
        }
```

（以下略）

会社名の背景に写真を表示させます。ただし、ChatGPTは写真を表示できるわけではないので、この部分は写真のファイル名を指定しておきました。

　この写真は、指定したファイル名の画像ファイルを用意し、表示されたHTMLファイルを保存したフォルダに置いておきます。この状態でHTMLファイルをブラウザで表示すると、次のようにちゃんと会社名の背景に写真が表示されているのがわかります。

表示されたHTMLと写真ファイルを用意し、ブラウザに表示させてみた

　お知らせ部分に表示するテキストも、プロンプトで指定できます。プロンプトでは、次のように指定しました。

「お知らせ」に次のテキストを記入してください。

#テキスト：

・2023/07/20 8月より夏季特別セールを実施します。

・2023/07/15 当社ベストセラー情報を掲載しました。

お知らせセクションに以下のテキストを記入します。

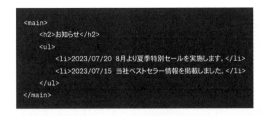

```
<main>
    <h2>お知らせ</h2>
    <ul>
        <li>2023/07/20 8月より夏季特別セールを実施します。</li>
        <li>2023/07/15 当社ベストセラー情報を掲載しました。</li>
    </ul>
</main>
```

上記のコードを `〈main〉` セクション内に追加します。テキストは
リスト形式で表示されます。

必要に応じて、テキストのスタイルを調整したり、リストの見た目を
変更するためのCSSを追加することができます。また、他のコンテン
ツやデザインに合わせてレイアウトを調整してください。

　ここまでの作業で、次のようにWebページらしいページになってきまし
た。こうしてChatGPTと会話をしながら、Webページを作成していくこ
とができます。

実際に作成されたWebページを表示させてみた

Point

Webページを作成するなら、HTMLやCSSの知識があったほうが便利で効
率的だが、これらをほとんど知らなくても、ChatGPTを利用すればWeb
ページも作成できるようになる

▼WebページのCSSを作成する

　Webページには、ページの内容をHTML言語で記載した部分と、ページのスタイルやデザインを指定したCSSの部分とがあります。

　CSSはスタイルシートといって、ページの文字の色や大きさ、デザイン、見た目などを設定する部分です。HTMLとCSSは同じHTMLファイル内に記述することもできますが、別々のファイルにすることが推奨されています。

　ChatGPTで出力されたWebページは、指定にもよりますがHTMLとCSSがまとめられてコードとして出力される場合と、HTMLとCSSが別コードとして出力されるケースがあります。別ファイルのほうがあとから手直しするのに便利ですから、1つになって出力されているときは、次のように**別々に出力するよう指定しておきましょう。**

📖 Memo

ChatGPTによって出力するWebページのコードは、HTMLとCSSを別々に出力するように指定しておく

HTMLとCSSを別々に出力してください。

もちろんです。以下にHTMLとCSSを別々のコードブロックとして出力します。

HTMLコード：

```
<!DOCTYPE html>
<html>
<head>
    <meta charset="UTF-8">
    <title>hoge書店</title>
</head>
<body>
```

CSSコード：

```
<style>
    /* CSSスタイルをここに記述します */
    /* 例: ヘッダーのスタイル */
    header {
        background-color: #f1f1f1;
        padding: 20px;
        text-align: center;
    }
    /* 例: フッターのスタイル */
    footer {
        background-color: #f1f1f1;
        padding: 10px;
        text-align: center;
    }
</style>
```

（以下略）

　これで2つのコードが出力されていますから、それぞれ「Copy code」ボタンをクリックし、別々の2つのファイルとして保存します。

　CSSファイルがHTMLとは別に出力されるようになったら、ページのデザインはCSS内で指定することになります。フォントの大きさを変更したり、文字を大きくしたり、あるいはリスト表示の先頭のマークを変更したり、CSSではさまざまなスタイルを指定することができます。

ネットを利用したプロモーションに活用する

ブログ記事やSNS投稿のメッセージを考える

　Webページを作成するためには、HTMLやCSSの知識が必要ですが、実際にはページ内に記述するテキストや写真といった、いわゆるコンテンツが重要になってきます。

　どのようなページを作成するか、たとえば会社のトップページなのか、新製品の紹介なのか、社員の日常の仕事なのか、新卒採用のお知らせや募集のページなのか、企業の紹介ページなのかなど、ページによって記載するコンテンツは大きく変わってきます。

　これらのコンテンツも、実はChatGPTを利用すれば効率よく作成できるのです。たとえば社員ページに設定したブログの記事を書いたり、SNSに投稿するメッセージを考えたりする、といったことも可能です。

▼ネットを利用したプロモーション記事を作成する

　まず、ブログ記事を作成してみましょう。企業が自社サイトに掲載するブログやコンテンツといったものは、もちろん企業の概要や営業内容を知らせることに役立ちますが、ネットの検索にヒットするためにも大切なことです。

　検索で出てこないものは存在しないのと同じなどといわれるように、Webサイトや自社のホームページを作成・公開しても、検索されたときにヒットしないのでは、存在しないのと同じです。

　Googleなどの検索エンジンでなるべく上位にヒットさせるためには、サイトやWebページの内容を充実させることが最も重要ですが、どのようなキーワードで検索したときに自社のページをヒットさせたいかを考えておく必要もあります。いわゆるSEOです。

　SEOは、Search Engine Optimizationの頭文字を取った用語で、検索エ

ンジン最適化などと訳される言葉です。検索エンジンがサイトを理解し、ユーザーがどのようなキーワードで検索したとき、サイトをヒットさせるか、それを最適化させる方法です。

　そのアルゴリズムは公開されていないため、どうすれば検索エンジンで上位に表示されるようになるかは答えがありません。しかし、少なくとも自社に関連するキーワードがなるべくたくさん入っていたほうが、検索エンジンで上位に表示されやすいといわれています。

　そこで自社に関連する特定のキーワードで検索されやすいよう、**いくつかのキーワードを含む記事**をChatGPTで作成してみましょう。たとえば、ゲームチェアの製造・販売を行っているメーカーなら、次のような指定で記事を作成するよう指定してみましょう。

あなたはプロのブロガーです。次の条件に従って300字から500字以内のブログ記事を書いてください。
#ターゲット：
20代〜30代のゲーム好きな人
#キーワード：
ゲームチェア、快適、ゲーム、ゆったり

タイトル：ゲームチェアで快適にゲームを楽しむ方法

本日は、20代〜30代のゲーム好きな方に向けて、ゲームチェアの重要性と快適なゲーム体験を得るための方法についてご紹介いたします。ゲームチェアは、長時間のゲームセッションにおいて姿勢をサポートし、快適さと集中力を高める重要なアイテムです。

まず、ゲームチェアの選び方についてです。快適さとゆったり感を追求するなら、座面と背もたれのクッション性が重要です。厚めのクッションがあることで長時間座っていても疲れにくく、快適な座り心地

を実現します。また、サイズや形状も自分の体形に合ったものを選ぶことが大切です。背もたれの高さや角度が調節可能なタイプもお勧めです。

（以下略）

　ChatGPTが作成した記事に、指定したキーワードが含まれているかどうか確認してみましょう。記事の内容そのものは、可もなく不可もなくといった感じですが、ChatGPTと何度かやり取りして、この記事をブラッシュアップしていけば、サイトに掲載できる程度の記事にはなるでしょう。

　記事を作成するための最初の取っ掛かりとしてChatGPTを利用すれば、それほど悩まずに記事が作成できるでしょう。プロンプトで同じ指定をしても、毎回異なるテキストが生成されるため、ブログ記事の量産も可能です。

▼SNSに投稿するメッセージを考える

　ブログやWebサイトだけでなく、X（旧Twitter）やInstagram、TikTok、ThreadsといったSNSも、企業活動のPRや認知などのために活用してみるといいでしょう。SNSは怖いもの、といったイメージを持つ人も少なくありませんが、うまく活用すれば企業名や商品名などを広く拡散するのに役立ちます。

　SNSでどのようなメッセージを発信したらいいのか──これもChatGPTで作成してみましょう。

　まず、メッセージの内容について指定します。たとえば、プロンプトに次のような指示をします。

 ゲームチェアの快適さに言及するようなツイートを作ってください。

 「新しいゲームチェアを手に入れた！座り心地が最高で、まるで宇宙船の中にいるみたい！長時間のゲームセッションでも疲れずに集中で

きるし、背中のサポートも抜群！プレイの快適さが格段にアップした感じがする！最高の投資だった！#ゲームチェア#快適性#ゲーマーの必需品」

ChatGPTがツイート（ポスト）を生成し、末尾にはいくつかのハッシュタグまで付けられています。生成されたメッセージの最後に「Regenerate response」ボタンがありますから、何度かクリックして、似たようなメッセージを複数生成してみます。

ゲームチェアの快適さに言及するようなツイートを作ってください。

「新しいゲームチェア、最高の快適さ！長時間のゲームセッションでも疲れずに集中できます。背もたれの角度調整とクッションの柔軟性が最高です！ゲームプレイがさらに楽しくなりました！#ゲームチェア #快適性 #ゲームプレイ」

Memo

生成されたメッセージが気に入らなければ、「仕事に関連するように修正してください」「季節感を取り入れてください」「もう少し楽しそうに直してください」など、どんどん要望を出してメッセージを修正する。ハッシュタグも他に気に入ったものがあれば、追加してよい

注意!!

ChatGPTが学習しているデータは、無料版の場合は2021年9月までなので、最新の動向やブームといったことを考慮したメッセージには注意が必要

こうして気に入ったメッセージが生成されたら、これをコピーしてX（旧Twitter）やInstagramなどに投稿すればいいのですが、生成されたメッセージの文字数が投稿メッセージの文字数制限に引っかかるときは、文字数を指定して生成し直す必要があります。

　SNSに投稿する1本のメッセージを作成するのには、少し時間がかかり過ぎるのではないかと感じる人もいるでしょう。

　しかし、ChatGPTが優れているのは、気に入ったメッセージが作成されたとき、「Regenerate response」ボタンをクリックするだけで、同じ条件でいくつものメッセージが生成される点です。テーマや使うキーワードなどを変更すれば、投稿用のメッセージがいくらでも生成できます。

　これまで企業でどのようにSNSを活用すればいいのか、そのためにどのようなメッセージを発信すればいいのかと悩んでいた企業も少なくないはずです。ChatGPTを利用すれば、もっと気楽に、そして簡単に、SNSの投稿用メッセージが、それこそ無限といえるほど生成できるようになるのです。

Point

「Regenerate response」ボタンをクリックすれば、同じ条件で投稿用のメッセージを複数作成できる

Chapter 6

分野別ChatGPT活用法
──Excel編

GPT

ChatGPTとExcelを組み合わせ自動化する

最強の仕事環境が構築できる

ChatGPTはテキストを生成させるだけでなく、実は**Excelと非常に相性がいい**ツールです。

テキストを生成するとき、ChatGPTではプロンプトでどのようなテキストを生成させるかを指定します。生成したいテキストが1つだけならいいのですが、プロンプトを変えて複数のテキストを生成したいときは、同じチャット内で何度もプロンプトを指定したり、チャットを変更して新しいチャットでプロンプトを指定したりすることになります。

ところがChatGPTとExcelを組み合わせれば、**事前にExcelでプロンプトを入力しておくだけで、複数のテキストを生成させることができる**のです。複数のテキストを生成するとき、Excelと組み合わせれば自動化ができるわけです。

また、ChatGPTとExcelを組み合わせてExcelの関数の使い方を調べたり、マクロを作成したりすることも可能になってきます。ChatGPTとExcelを組み合わせれば、最強の仕事環境が構築できるようになるのです。

▼ChatGPT APPとアドインを使ってExcelと連携する

ExcelでChatGPTを利用するためには、**Excel用のアドイン**が必要です。現在、Excelで利用できるアドインには、「ChatGPT for Excel」があります。このアドインを利用すると、ExcelでChatGPT用の6個の関数が利用できるようになります。次の関数です。

①AI,ASK関数：セルで指定した質問に回答してくれる関数
②AI.LIST関数：リスト形式でChatGPTの回答を表示する
③AI.FILL関数：入力済みの情報から予測される情報を回答する

④AI.EXTRACT関数：指定したデータを抽出する関数

⑤AI.FORMAT関数：指定したデータを抽出する関数

⑥AI.TRANSLATE関数：指定したデータを翻訳する関数

実際にアドインを利用して、これらの関数を使ってみましょう。

まず、Excelにアドインの「ChatGPT for Excel」を追加しましょう。ただし、このアドインが利用できるのはMicrosoft 365のExcelとWeb版のExcelのみで、それ以外のExcelでは使えません。「ChatGPT for Excel」がどのようなものか試してみたいときには、Web版のExcelを利用してみるといいでしょう。

Web版のExcel（Microsoft 365のExcelでも同様）を開き、ツールバーの「アドインを入手」ボタンをクリックします。

「Officeアドイン」ダイアログボックスが現れるので、左上の「ストア」をクリックします。さらに検索ボックスに「ChatGPT」と入力して検索すると、ChatGPT関連のアドインが表示されます。表示されたアドインの中から「ChatGPT for Excel」を見つけ、右端の「追加」ボタンをクリックして追加しましょう。

「少々お待ちください」と書かれたダイアログボックスに変わったら、「続行」ボタンをクリックします。これでChatGPT for Excelのアドインが追加され、Excel画面に戻ります。右側に「Welcome」と書かれた画面が表示されます。

この画面は、表示されたままにしておきます。ChatGPT for Excelを利用するためには、**ChatGPTのAPIキーを取得し、これを指定する必要があるから**です。

ChatGPTのAPIキーは、ChatGPTのページから取得できます。ChatGPTのAPIキー取得ページ（https://platform.openai.com/account/api-keys）にアクセスし、「API keys」欄のページで、「Create new secret key」をクリックします。すると「Create new secret key」ダイアログボックスが現れるので、「Create secret key」ボタンをクリックして、新しいAPIキーを作成します。

1 ツールバーの「アドイン」をクリックする

2 「Officeアドイン」ダイアログボックスが開くので、「Officeストア」をクリックする

3 ストアで「ChatGPT」と入力して検索し、「ChatGPT for Excel」の「追加」ボタンをクリックしてアドインを追加する

| 4 | 「少々お待ちください」と書かれたダイアログボックスに変わったら、「続行」ボタンをクリックする | 5 | アドインが追加され、Excel画面に戻る |

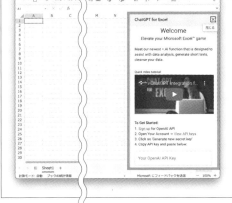

このキーをChatGPT for Excelに登録する必要があるので、「コピー」ボタンをクリックしてクリップボードにコピーします。後でAPIキーが必要になったときのために、メモ帳などにもコピーして残しておきましょう。

新しくChatGPTのAPIキーを取得したらExcel画面に戻り、右側に表示されたままにしておいた「ChatGPT for Excel」画面の下のほうにある「Your OpenAI API key」欄に、クリップボードにコピーしておいたAPIキーを貼り付け、「SAVE」ボタンをクリックします。これでChatGPT for Excelアドインを使う準備の完了です。

| 1 | API keys画面で「Create new secret key」ボタンをクリックする |

2 「Create new secret key」ダイアログボックスに変わるので、「Create secret key」ボタンをクリックする

3 新しくAPIキーが作成されるので、クリップボードにコピーしておく

4 APIキーを貼り付け、「SAVE」ボタンをクリックする

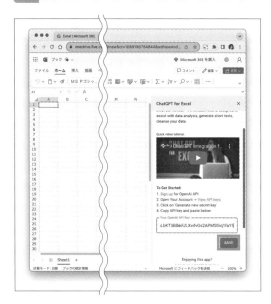

▼関数でChatGPTに質問する

ChatGPT for Excelを追加すると、6つの関数が利用できるようになり

ます。最初に最も手軽なAI.ASK関数を利用してみましょう。

　この関数は、**ExcelのセルにChatGPTに聞きたい質問を入力すると、ChatGPTで生成したテキストを表示してくれる関数**です。たとえば、Excelの関数の使い方がわからなくなったら、「○○の使い方を教えて」と入力し、AI.ASK関数を使ってChatGPTの回答を表示させてみるといいでしょう。

　たとえば、A1セルに「VLOOKUP関数の使い方を教えて」と入力し、B1セルにAI.ASK関数を使ってA1セルを指定します。B1セルには次のように入力しておけば構いません。

```
=AI.ASK(A1)
```

　AI.ASK関数を指定したB1セルには、A1セルの質問のChatGPTの回答が表示されました。ChatGPTからの回答は若干時間がかかるようで、「#Bビジー!」と表示されることもありますが、少し待っていれば回答が表示されます。

　この程度なら、わざわざAPIキーを取得してアドインまで追加する必要はない、と思うかもしれません。しかし、たとえばいくつもの質問をセルに書き込んでおき、AI.ASK関数を使ってChatGPTからの回答を表示するような表を作成すれば、複数の質問の回答が素早く得られるようになります。関数を入力したセルは、コピー＆ペーストするだけで簡単に複数のセルに入力できます。

🖐 Point

AI.ASK関数を使えば、ExcelのセルにChatGPTに聞きたい質問を入力すると、ChatGPTで生成したテキストを表示してくれる

VLOOKUP関数の使い方を質問してみた

複数のセルに質問を記入し、AI.ASK関数を指定したセルをコピー＆ペーストするだけで、複数の質問に対する回答が即座に得られる

▼リスト形式でChatGPTの回答を表示する

　ChatGPT for Excelを追加すると利用できるようになる２つ目の関数は、AI.LIST関数です。

　これは、**ChatGPTの回答をリスト形式で取得する**関数です。ChatGPTの画面で、「○○について箇条書きで10個教えてください」などと指定すると、質問に対する回答を箇条書きで表示してくれました。

AI.LIST関数の使用例

　同じことが、このAI.LIST関数でも実現します。ただし、AI.LIST関数はExcelで利用するものですから、箇条書きの回答がそれぞれのセルに表示されるようになります。各回答が１つのセルに記入されていれば、そのセルを指定して別の質問をしたり、あるいは表を利用して別の表を作成したり、といったことも利用できるようになります。

> 🖐 **Point**
>
> AI.LIST関数を使えば、ChatGPTの回答をリスト形式で取得できる

▼語学の学習に活用する

ChatGPT for Excelアドインで利用できる関数の中でも、AI.TRANSLATE関数は**語学の学習にも役立つ関数**です。

たとえば、英語の単語帳のようなものを表形式で作成したいときには覚えたい英単語を入力し、その隣にAI.TRANSLATE関数を使って日本語訳を表示したらどうでしょう。自分だけの単語帳が簡単に作成できます。

英文を日本語に翻訳して表示する

また、海外のサイトやニュースを毎日チェックしている人もいるでしょう。あちこちのサイトに移動するたびに、記事をコピーしてChatGPTに貼り付け、翻訳してもらうのは面倒です。

こんなときも、あちこちのサイトで記事をコピーしてExcelのセルに貼り付け、最後にAI.TRANSLATE関数を指定するだけで、複数のサイトの記事が即座に翻訳されて表示されます。

この関数は、次のように指定します。

=AI.TRANSLATE("元テキスト", "翻訳先言語")

たとえば、英語の記事をA1セルに貼り付け、その日本語訳をB1セルに表示させたければ、次のように指定するだけです。

=AI.TRANSLATE(A1, "日本語")

この関数で翻訳できるのは、英語だけではありません。中国語やフランス語など、さまざまな言語が扱えます。

> **Point**
> AI.TRANSLATE関数は、語学の学習にも役立つ関数

Excelで経費精算書を作る

CSV形式で出力する

　会社によっては経費の精算書や取引先への請求書など、表形式の書類を
Excelで作成しているところもあります。特に中小企業では、Excelを経理
や会計処理に活用している企業も少なくないでしょう。

　これらの企業では、最初に書類のひな型を作成しておき、このひな型を
社員同士、あるいは各部署で使い回すことが多いはずです。各書類にどの
ような項目が必要で、形式をどうするかなど、最初にChatGPTに質問し
てみて、最も自社に合う形式のものをひな型にするといいでしょう。

　たとえば、請求書のひな型を作成してみます。プロンプトには次のよう
に指定します。

 取引先に送付する請求書をExcel形式の表で作成してください。

 次に、Excel形式の請求書の作成方法を説明します。

1. Excelを開きます。
2. 新しいワークブックを作成します。
3. シートの最初の行に、請求書のヘッダー情報を追加します。例え
　 ば、以下のような情報を入力できます。
・請求書番号
・送付日付
・取引先名
（中略）
これで請求書の作成が完了しました。Excelの機能を駆使して、必要
なデータを追加し、請求書を作成してください。

ChatGPTの回答では、請求書に盛り込むべき項目と、Excelで作成するときの手順が表示されていました。ただし、このままではExcelの表を開き、手入力でそれぞれの項目を記入していかなければなりません。

そこで次に、すべての項目を含む表を、CSV形式で出力するよう指示してみました。CSV形式はComma-Separated Valuesの頭文字を取ったもので、それぞれの項目をカンマで区切ってテキストデータにしたものです。ExcelではこのCSV形式のファイルが扱えます。

すべての項目を含む表をCSV形式で表示してください。

CSV形式の表を以下に示します。各項目はカンマで区切られています。

請求書番号,送付日付,取引先名,取引先住所,連絡先情報,支払い期日,品目名,数量,単価,合計金額
001,2023-07-13,ABC商社,東京都渋谷区1-2-3,info@example.com,2023-08-13,商品A,5,1000,5000
001,2023-07-13,ABC商社,東京都渋谷区1-2-3,info@example.com,2023-08-13,商品B,3,1500,4500
001,2023-07-13,ABC商社,東京都渋谷区1-2-3,info@example.com,2023-08-13,商品C,2,2000,4000

上記の表は、請求書番号が「001」で、送付日付が「2023-07-13」で、取引先が「ABC商社」である請求書の例です。品目名、数量、単価、および合計金額のデータも含まれています。

この表をCSV形式のファイルに保存するには、テキストエディタなどのツールで上記の表をコピーし、テキストファイルに貼り付けて保存してください。拡張子を".csv"とし、適切なファイル名を付けて保存します。

　ChatGPTは各項目に入力するデータの例を挙げながら、CSV形式で出力してくれました。このCSV形式の部分だけを選択してコピーし、Excelの表を開いてペーストします。

　これでChatGPTがCSV形式で出力してくれた請求書が、Excelの表に貼り付けられて表示されました。

　Web版のExcelを利用しているときは、ChatGPTの回答でコピーしたものを、エディタなどにペーストしてcsvという拡張子でファイルにし、マイクロソフトのExcelのページにアップロードします。このアップロードしたCSVファイルをExcelで読み込めば、Excelの表として表示されます。

　表示された表を、請求書のひな型として、以後はこの表を再利用すればいいのです。会社独自の必要な項目が抜けていれば項目を追加し、不要な項目があれば削除するなど、それぞれの会社に合わせてカスタマイズして利用するといいでしょう。

CSV形式のテキストを貼り付けるか、ファイルから読み込むだけで、Excelの表になる

財務諸表をもとに会計データを分析する

プロンプトで各数値を示す

　再三記すように、無料版のChatGPTは2021年9月までのデータが学習されています。有料版のChatGPT Plusではインターネットを検索する機能が利用できるため、最新の情報も出てきます。

　この無料版のChatGPTでは、企業の財務状態を調べたり、会計データを取り扱ったりしようとしても、古い情報しか出てきませんから、最新の情報が必要になる分析などには向いていません。

　しかし、古い情報でもいいから、企業のだいたいの財務状態を知りたいときには、無料版のChatGPTでも調べることができます。

　たとえば、企業の財務諸表の数値をもとに、企業の収益性や成長率など、いくつかの財務指標を計算させることができます。ChatGPTが2021年までのデータしか学習していなくても、**プロンプトで各数値を示せば、ChatGPTはちゃんと分析してくれる**のです。

　下記は、ある会社の売上高や営業利益、自己資本比率、資本金といった財務諸表の数値を指定し、収益性を分析してもらった例です。

次の数値をもとに収益性を分析してください。

　2022年9月期（連）　2021年9月期（連）　2020年9月期（連）
2019年9月期（連）
決算日　2022年9月24日　2021年9月25日　2020年9月26日
2019年9月28日
売上高　394,328,000千　365,817,000千　274,515,000千
260,174,000千
営業利益　119,437,000千　108,949,000千　66,288,000千

63,930,000千

税引前利益　119,103,000千　109,207,000千　67,091,000千
65,737,000千

当期利益　99,803,000千　94,680,000千　57,411,000千
55,256,000千

EPS　6.15　5.67　3.31　2.99

総資産　352,755,000千　351,002,000千　323,888,000千
338,516,000千

自己資本　50,672,000千　63,090,000千　65,339,000千
90,488,000千

自己資本比率　14.36%　17.97%　20.17%　26.73%

BPS　3.18　3.84　3.85　5.09

資本金　64,849,000千　57,365,000千　50,779,000千
45,174,000千

有利子負債　110,087,000千　118,719,000千　107,440,000千
102,067,000千

 収益性を分析するために、いくつかの指標を計算してみましょう。

1. 売上高成長率（Sales Growth Rate）：
   2021年から2022年の売上高成長率 ＝（（394,328,000千 -
   365,817,000千）/ 365,817,000千）* 100
   ≈ 7.80%
   2020年から2021年の売上高成長率 ＝（（365,817,000千 -
   274,515,000千）/ 274,515,000千）* 100
   ≈ 33.34%
   2019年から2020年の売上高成長率 ＝（（274,515,000千 -
   260,174,000千）/ 260,174,000千）* 100
   ≈ 5.51%

2. 営業利益率（Operating Profit Margin）：

2022年の営業利益率 ＝（119,437,000千 / 394,328,000千）* 100

≈ 30.29%

2021年の営業利益率 ＝（108,949,000千 / 365,817,000千）* 100

≈ 29.77%

2020年の営業利益率 ＝（66,288,000千 / 274,515,000千）* 100

≈ 24.13%

2019年の営業利益率 ＝（63,930,000千 / 260,174,000千）* 100

≈ 24.56%

（以下略）

　入力した数値をもとに、ChatGPTは売上高成長率や営業利益率などを計算して回答してくれました。特に独自の分析といったものはありませんが、回答された成長率や指標をもとに経営分析を指示してみると、さまざまな視点で分析を行うことも可能でしょう。

　ただし、入力した数値が正しくても、ChatGPTが行った計算や分析が必ずしも正しいとはいえません。ChatGPTは間違ったことを平然と回答してくることがありますから、これらの分析・評価といったものは参考程度にとどめ、**必ず人間や専門家が検証する**必要があります。

📖 Memo

財務諸表や業績などの数値は、自社の場合は公表している財務諸表から抜き出せばよいが、他社の場合はYahoo!ファイナンスなどのサイトを参照し、データをコピーすることで簡単に作成できる

▼経費のカテゴリー分類を整理する

　会計や経理などにChatGPTを利用しようと思うと、いくつかの問題が出てきます。たとえば、社員一人ひとりが作成した経費のメモを集計したいときです。最初から経費の書き方を統一しておけばいいのですが、それ

それが別々の書き方をしていると、ChatGPTでもこれらのメモをもとに集計を出すことはできません。できたとしても、多くの間違いが出てくるでしょう。

　こんなときは、**まずメモなどをどのように扱うのか**をChatGPTに指示します。たとえば、年月の表示形式を指定して統一し、次に利用した交通機関と料金を、最後に概要をまとめる、という具合です。

次のテキストを整形し、表形式で表示してください。
日付:
yyy/mm/ddの形式で統一
交通機関:
日付の次に移動
料金:
交通機関の次に移動
概要:
行の末尾に移動
テキスト:
2023/07/13 JR 490円 A商事打ち合わせ
2023/07/13 地下鉄 280円 鈴木宅訪問
2023年7月13日 部長会議 JR 480円 ABCホテル
2023年7/15 B銀行打ち合わせ　JR 290円
2023 7月10日　タクシー　6700円
7月9日　M不動産　590円　地下鉄　支店下見
23年7月11日 O家具　都バス　800円　支店備品見積もり

```
日付     | 交通機関 | 料金 | 概要
---------|----------|------|--------------------
2023/07/13 | JR      | 490円 | A商事打ち合わせ
2023/07/13 | 地下鉄  | 280円 | 鈴木宅訪問
```

2023/07/13 | JR　　　| 480円 | 部長会議、ABCホテル
2023/07/15 | JR　　　| 290円 | B銀行打ち合わせ
2023/07/10 | タクシー | 6700円 |
2023/07/09 | 地下鉄　| 590円 | M不動産支店下見
2023/07/11 | 都バス　| 800円 | O家具支店備品見積もり

合計額: 10130円

　さまざまな形式で書かれたメモが、指定に従って整形され、表形式で出力されました。

　中にはメモの順番によって各項目に合致しないものもあります。けれども、手作業で整形してExcelに入力していくような作業を考えれば、まずChatGPTで整形して表形式にし、CSV形式で出力。これをExcelに読み込ませ、最後にExcelでミスを修正する、という作業のほうがより効率的なのではないでしょうか。

🖑 Point

ChatGPTは質問を投げかけると、それなりの答えを文章で回答してくれて便利だと考えられているが、ChatGPTの得意なもののひとつに文章の整形がある。そのため、さまざまな文章を整形させ、人間が扱いやすい形式で出力させる作業にも向いている

Googleドキュメントと組み合わせて利用する

質問や指示が多ければ多いほど、スプレッドシートを利用したほうが手軽

Excelと同じように、表形式で数値などを扱えるアプリとして、Googleドキュメントがあります。Googleのアカウント（Gmailアドレス）を持っているユーザーなら、誰でも無料で利用できるサービスです。

Googleドキュメントにはドキュメント、スプレッドシート、スライド、フォームの4つの機能があります。マイクロソフト社のOfficeにたとえれば、ドキュメントはWord、スプレッドシートはExcel、スライドはPowerPoint、フォームはGoogle独自のサービスです。

本章ではChatGPTをExcelと組み合わせ、いくつかの便利な機能を利用する方法を解説しましたが、最後にChatGPTとGoogleドキュメントとの組み合わせについても紹介しておきましょう。

▼GPT for Sheets and Docsを追加する

Googleドキュメントの中のスプレッドシートでChatGPTを利用するには、アドオンの「**GPT for Sheets and Docs**」を利用します。

Googleドキュメントにアクセスし、ドキュメントまたはスプレッドシートで新しいドキュメントかスプレッドシートを開きます。

1 Googleドキュメントのスプレッドシートで新しいスプレッドシートを開く。
メニューから「拡張機能」-「アドオン」-「アドオンを取得」をクリックする

2 Google Workspace MarketplaceでGPT for Sheets and Docsを探し、これをクリックする

3 ダイアログボックスが現れるので、「インストール」ボタンをクリックして、GPT for Sheets and Docsをインストールする

4 「インストールの準備」ダイアログボックスに変わるので「続行」ボタンをクリックする

5 ダイアログボックスの表示が変わるので、画面の指示に従ってアドオンをインストールする

6 アドオンがインストールされると、スプレッドシートの画面に戻り、画面右側に「GPT for Sheets and Docs」の欄が表示されている

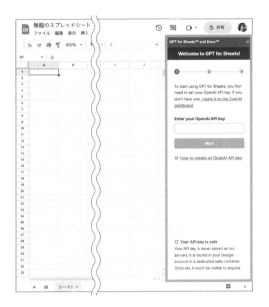

　スプレッドシートの新しいシートが開いたら、メニューから「拡張機能」-「アドオン」-「アドオンを取得」を指定し、現れた「Google Workspace Marketplace」ダイアログボックスの検索窓で「ChatGPT」と入力して、ChatGPTアドインを検索します。

「GPT for Sheets and Docs」が見つかったら、これをクリックします。さらに指定した「GPT for Sheets and Docs」のダイアログボックスが現れたら、「インストール」ボタンをクリックします。

▼スプレッドシートにOpenAI APIキーを登録する

「GPT for Sheets and Docs」アドオンをインストールしたら、次に**ChatGPTのAPIキーを取得してこのアドオンに登録します。**

　ChatGPTのAPIキーは、OpenAI社のサイト（https://platform.openai.

com/account/api-keys）にアクセスし、「API keys」欄のページで、「Create new secret key」をクリックして取得します（193ページ参照）。

　取得したAPIキーを、スプレッドシートのGPT for Sheets and Docs欄の「Enter your OpenAI API key」のボックスに貼り付け、「Next」ボタンをクリックします。使い方のヒントなどが表示されるので、確認して「Next」ボタンをクリックします。

　さらに、「How to manage OpenAI costs」という説明などが表示されるので、問題がなければ「I understand」ボタンをクリックします。これでアドオンを利用する準備ができました。

1 ChatGPTのAPI keyを登録すると、使い方の説明が表示される。確認し、「Next」ボタンをクリックする

2 説明が表示されたら内容を読み、問題がなければ「I understand」ボタンをクリックする

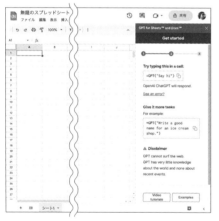

▼スプレッドシートでChatGPTを使う

　「GPT for Sheets and Docs」をインストールすると、Googleスプレッドシートで ChatGPTが使えるようになります。

　具体的にいえば、ChatGPTのプロンプトで質問や指示を出すのと同じ

ように、スプレッドシートのセルに質問や指示を入力し、これをGPT関数で指定することで、ChatGPTの回答が表示されるわけです。

たとえば、A1セルにChatGPTへの指示を記入し、ChatGPTの回答をB1セルに表示したければ、B1セルに、次のようにGPT関数を入力します。

=GPT(A1)

A1セルの指示のChatGPTの回答をB1セルに表示させる

GPT関数では、もちろんセルを指定するだけでなく、ChatGPTに指示する質問や要望を、直接GPT関数の引数として指定することもできます。たとえば、次のように指定します。

=GPT("GPT関数の使い方")

どちらの指定方法でも、スプレッドシートのセルに入力するだけで、

ChatGPTのページを開いてプロンプトに指示を入力するといった操作なしで、ChatGPTを利用してその回答を得られます。

　プロンプトに指示を出し、その回答を得るという操作は変わりませんが、スプレッドシートなら思いつく質問をいくつも入力しておき、あとはGPT関数を利用してChatGPTの回答を表示するよう指定するだけです。質問や指示が多ければ多いほど、スプレッドシートを利用したほうが手軽なのです。

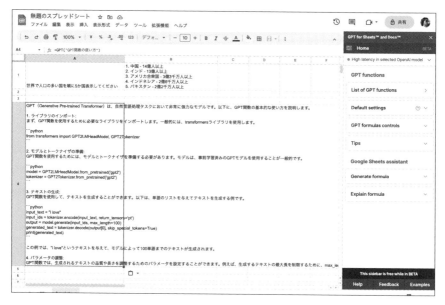

GPT関数に直接指定してChatGPTの回答を表示する

　「GPT for Sheets and Docs」の機能は、それだけではありません。GPTウィンドウの上のほうにある「HOME」をクリックすると、GPT関数のメニューが現れます。このメニューから、たとえば「List of GPT functions」をクリックしてみましょう。するとGPT関数とそれに関連する関数の一覧が表示されます。

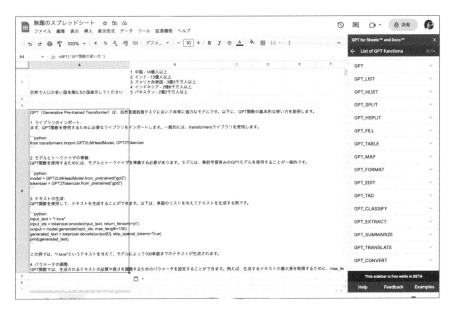

GPT関数で利用できる関数の一覧が表示された

　たとえば、「GPT_LIST」という関数があります。この関数は、ChatGPTから箇条書きで回答されたものを、リスト形式でそれぞれのセルに分けてリスト表示してくれるものです。次のように指定します。

=GPT_LIST("東京都の区名")

　この指定では、東京23区の区名をChatGPTに質問し、回答をリスト表示するというものです。

　GPT関数には、他にも便利な関数がいくつも備わっています。ChatGPTとGoogleスプレッドシートを連携して利用してみると、Googleスプレッドシートの活用範囲がもっと広がるのではないでしょうか。

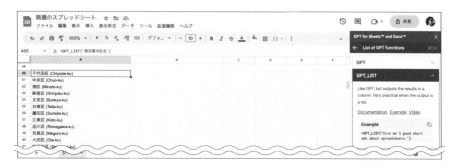

GPT_LIST関数の使用例

▼GoogleドキュメントでGPT関数を使う

Googleスプレッドシートだけでなく、Googleドキュメントの中の「ドキュメント」でも、スプレッドシートで追加した「GPT for Sheets and Docs」アドオンが利用できます。

既に前項でスプレッドシートに「GPT for Sheets and Docs」アドオンをインストールしましたから、ドキュメントではインストールする必要はありません。

ドキュメントで新しい文書を開いてみます。ドキュメントは、Officeでいえば Word と同じように文書を作成するアプリです。新しい文書を開い

ドキュメントの拡張機能メニューに、既に「GPT for Sheets and Docs」メニューが追加されている

たら、メニューから「拡張機能」を指定します。するとこのメニューの中に「GPT for Sheets and Docs」という項目があります。これをクリックします。

「GPT for Sheets and Docs」メニューの中には、さらにいくつかのサブメニューが並んでいます。

　実際に「GPT for Sheets and Docs」を利用してみる前に、サブメニューの中の「ヘルプ」を指定し、この拡張機能でどのようなことができるのか、確認しておくといいでしょう。

「GPT for Sheets and Docs」という拡張機能は、ドキュメントの中からChatGPTを利用できるというものです。たとえば、ChatGPTを利用してメール本文や企画書のような書類を作成するとき、ChatGPTのプロンプトに指示を出し、その回答をコピーしてエディタやメモ帳、Wordなどのソフトに貼り付けていたのではないでしょうか。

　ところがGoogleドキュメントで「GPT for Sheets and Docs」を利用すれば、**ドキュメント内にChatGPTの回答を追加して入力できる**のです。

　メニューバーから「拡張機能」-「GPT for Sheets and Docs」-「Launch」を指定すると、ドキュメント画面右側に「GPT for Sheets and Docs」と書かれたウィンドウが現れます。ウィンドウ上部の「Select action」欄のすぐ下のボックスに、ChatGPTに指示したい質問や要望を入力します。

　なお、「Select action」の右端をクリックし、日本語を選択しておくと、いくつかの項目が日本語で表示されるようになります。

ChatGPTのプロンプトを入力し、「Submit」ボタンをクリックする

　プロンプトを入力したら、「Submit」ボタンをクリックします。すると左側の文書作成画面のカーソル位置に、今指示したプロンプトに対するChatGPTの回答が挿入されます。

ChatGPTの回答が挿入される

　ChatGPTのページで回答をコピーし、Wordなどの画面で貼り付けると
いった操作をしなくても、Googleドキュメントだけで次々と文章を作成し
ていけます。

　もちろんGoogleドキュメントは文書作成アプリですから、そのまま何度
かChatGPTに指示を出し、回答を挿入し、それらを編集して、出来上が
ったらファイルをダウンロードしたり、そのままメールに貼り付けて送信
したりできます。「GPT for Sheets and Docs」をドキュメントで利用すれ
ば、文書作成の手間が大きく省力化され、効率よく作業が行えるようにな
ります。

　文書を作成することが多いユーザーや、ChatGPTをもっと活用したい
ユーザーなら、この「GPT for Sheets and Docs」とGoogleドキュメント
の組み合わせは、驚くほど効率のよい方法になるはずです。

Chapter 7

リスキリングに
活用する

Chat
GPT

ビジネス英語を独学する

翻訳・辞書・英作文などに活用する

　ChatGPTのようなテキスト生成AIの出現は、テキストや文書を作成する人だけでなく、もっと多くの人たちにとって恩恵のあるものです。仕事でもプライベートでも、文章を書く機会はほとんどないから自分には必要ない、と考えている人もいるでしょう。

　ところが、**最近流行のリスキリングにChatGPTを活用できる**としたらどうでしょう。

　リスキリングとは新しいスキルを身につけることで、新しい業務や職業に就くことです。経済産業省も「リスキリングを通じたキャリアアップ支援事業費補助金」の予算を計上しているほどで、ただ流行りという言葉以上に切実な要請ともいえるものです。

　実はAIの登場によっても、リスキリングの必要性が高まっています。AIによって、特定の職業や仕事が不要になるともいわれており、企業もビジネスパーソンも切実にリスキリングを通じたキャリアアップに乗り出してきているのが現実なのです。

　経済産業省が推進しているリスキリングは、「新たな時代に即したデジタル人材政策の方向性」を主軸に、ITやデジタル分野、ネットワーク・セキュリティ分野などが挙げられますが、一般的なリスキリングの分野としては、次の6分野が学ぶべき領域として推奨されています。

- 英語
- マーケティング
- データ分析
- ITリテラシー
- セキュリティ

- プログラミング

これらの分野のうち、特に英語やプログラミングについては、ChatGPT
を活用することで独自にスキルアップできる分野だといってもいいでしょ
う。

▼英文を翻訳する

　リスキリングの分野で、多くの人が真っ先に取り組みたいと思っている
のが英語ではないでしょうか。インターネットでも触れる機会の多い英語
ですから、なおさら必要性を痛感している人も多いはずです。

　英語の勉強を始めようと、さまざまな教材を購入しては挫折を味わって
いる人も少なくありませんが、お金をかけず、しかも効果が高いのが
ChatGPTの利用です。

　ChatGPTはインターネット内の記事やさまざまな文献などを事前に学
習していますが、それらのデータの中で最も量が多いのが英語だとされて
います。英語はインターネット内の共通言語でもあり、ChatGPTはそれ
らのデータを学習しているのですから、英語が多いのは当然です。

　そこでリスキリングのために英語に再挑戦する際に、ChatGPTを利用
するのです。

　まず、翻訳です。**ChatGPTのプロンプトに英文を貼り付け、翻訳して
ほしいと指示すれば、ChatGPTが日本語に翻訳して表示してくれます。**
翻訳させる英文は、Webサイトや英語版のニュースサイトの記事などで構
いません。ただし、無料版のChatGPTではサイトのURLアドレスを指定
しても、ネット検索や指定したURLのサイトを参照してくれません。し
たがって、興味のあるサイトやニュースサイトなどにある英文をコピーし、
これをプロンプトに貼り付けて翻訳を指示する必要があります。

　実際にChatGPTに翻訳させる前に、自分で英文の意味を読み取り、あ
るいは自分で翻訳してみて、ChatGPTが翻訳したものと比べてみるとい
いでしょう。これで英文翻訳の学習が可能です。

適当な英文記事がないときは、ChatGPTに英文を生成させてもいいでしょう。「○○について英語で説明してください」といった指示を与えると、ChatGPTは英文を生成してくれます。

 金閣寺について、英語で説明してください。

Kinkaku-ji, also known as the Golden Pavilion, is a Zen Buddhist temple located in Kyoto, Japan. It is one of the most iconic and popular tourist attractions in the city.

The temple's main highlight is its stunning three-story structure covered in gold leaf. The upper two stories of the pavilion are built in the shinden-zukuri architectural style, characterized by gabled roofs and wooden exteriors. The topmost floor is adorned with a golden phoenix, symbolizing the celestial realm.
（以下略）

この英文を自分なりに翻訳し、さらに続けて「日本語に翻訳してください」と指示すれば、生成された英文を今度は日本語に翻訳して表示してくれます。

英文を翻訳させるだけでなく、**単語の意味を調べること**もできます。英文に出てきた単語を指定し、その意味や類義語、反対語などを調べてみることで、もっと深い勉強も可能です。

 among の類義語と反対語を教えてください。

"among"の類義語は、"amongst"や"between"です。これらの単語は、複数の要素やグループの中での位置や関係を示すために使用されます。
（以下略）

> 📖 **Memo**
>
> ChatGPTは辞書としても利用できる

▼英作文を添削させる

　翻訳だけでなく、ビジネスなどで英語を使おうとすれば、英文を作成する、つまり英作文の勉強も必要です。英文でメールを作成したり、プレゼン資料を英語で書いたりする機会もあるでしょう。

　実はChatGPTに代表されるテキスト生成AIが発展すれば、語学力は不要になるともいわれています。実際、小型の翻訳機や翻訳アプリの登場で、これらを利用すればちょっとした会話には困らない状況になってきています。

　英作文の学習なら、作成した英文をChatGPTに添削してもらうといいでしょう。会話で使いたい文章を英語で作成し、これをプロンプトで指定して添削してもらいます。「次の英作文を添削してください」と指定してもいいですし、「あなたはネイティブの英語の教師です。次の英作文を添削してください」と**ChatGPTの役割を具体的に指定する**と、次のようにもっと的確に添削してくれることも多いようです。

あなたはネイティブの英語教師です。次の英作文を正しい英文に添削し、どの部分を直せばいいのか具体的に日本語で指摘してください。
The past many days wear record-breaking heat in Japan, and temperatures exceeding 35 degrees Celsius every day in Eastern Japan.

The past several days have been recording-breaking heat in Japan, with temperatures exceeding 35 degrees Celsius every day in Eastern Japan.

添削ポイント：

・「The past many days wear」を「The past several days have been」に修正しました。文中の「wear」は誤った動詞形です。「have been」を使って過去の連続した出来事を表現しました。
・「record-breaking heat」は「recording-breaking heat」に修正しました。正しい形容詞形である「recording-breaking」を使用しました。
・「and」を追加して文の連結性を改善しました。
・「Eastern Japan」を文中に配置しました。このように位置を変えることで、文が明確になります。

　ChatGPTから求める回答を得るためには、ちょっとくどいほど具体的に動作を指定する必要があります。たとえば、「添削してください」とだけ指定すると、添削した英文を表示したり、英文ではなく日本文で回答したりすることもあります。
　また、ただ「添削してください」と指定するのではなく、「添削した部分を（日本語で）指摘してください」と指定しないと、添削後の英文を回答したり、添削も英語で説明したりします。なお、上の例では、日本語で指摘するよう指定したので、日本語で回答しています。ChatGPTはその都度、回答が異なり、英語でしか回答しないことも多々あります。
　ただし、これらの点も何度か会話をやり取りすれば、求める回答が得られるようになるはずです。一度の指定で正しい回答を得たほうが効率的ですが、プロンプトに悩んだら、何度か会話を続けてみるといいでしょう。

英語で会話する

音声コントロール拡張機能を利用する

ChatGPTと何度か会話をすると、求めている回答が得られるようになりますが、会話そのものを楽しむのも語学の勉強になります。

たとえば、日常的な英会話や旅行に行ったことを想定した英会話、さらにビジネス現場で取引先の相手と初めて会うときの会話など、シチュエーションを決めてChatGPTに話しかけてみます。

最初は、「英会話の練習のために、会話をしたいのですがいいですか？」と話しかけてみればいいでしょう。するとChatGPTは、「もちろんです。何をおしゃべりしたいのか、質問するか議論のトピックを提案してください」と答えてくれました。

I would like to have a conversation with you to practice my English conversation.

Of course! I'd be happy to help you practice your English conversation skills. What would you like to talk about? Feel free to ask me questions or suggest a topic for discussion.

ChatGPTはその名の通り、おしゃべりをするためにテキストを生成してくれるAIです。そのおしゃべりはコミュニケーションを模倣したもので、自然な言葉でコミュニケーションが行えるようになっています。

こうしてChatGPTと英語でコミュニケーションすれば、英会話の勉強や練習になるというわけです。最初のうちは外国語で会話を進めていくのも大変ですが、慣れればきっと話も弾み、気がつけば英会話の力にもつながっていくはずです。

▼ChatGPTと英語で会話する——ヒアリング

　ChatGPTと外国語で会話をすることで、会話力が身につくようになりますが、それだけでは実際の会話にはあまり役立ちません。この方法は、どちらかといえばチャット、つまりコンピュータ上での会話でしかありません。聞いたりしゃべったりという、会話本来の練習にはならないのです。

　そこで**ChatGPTを音声でコントロールし、ChatGPTの回答も音声で返してくれるようにしてみましょう**。OpenAI社のChatGPTそのものには、音声での会話機能はありません。音声で会話できるようにするためには、ブラウザにGoogleのChromeを使い、「**Voice Control for ChatGPT**」というChromeの拡張機能を利用します。

　Chromeブラウザを起動して、Chromeウェブストア（https://chrome.google.com/webstore/category/extensions?hl=ja）にアクセスします。ここで「ChatGPTの音声コントロール」拡張機能を検索し、Chromeにインストールします。

　「ChatGPTの音声コントロール」拡張機能をインストールし、ChatGPTにログインすると、拡張機能の設定やオプションの設定画面が表示されま

Chromeウェブストアで「ChatGPT音声コントロール」拡張機能を検索し、Chromeにインストールする

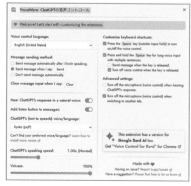

ChatGPTの音声コントロールをインストールしてChatGPTにログインすると、「ChatGPTの音声コントロール」拡張機能の設定画面が表示される

す。特に変更する必要がある項目はありませんか
ら、そのまま閉じて構いません。

　この拡張機能をインストールすると、ChatGPT
のプロンプト欄にマイクのアイコンが追加されて
います。このアイコンをクリックし、パソコンに
接続しているマイクに向かって話します。

　英語などで指示を出すと、音声認識されて文字
に変換され、プロンプトのボックスにテキストが
表示されます。問題がなければ「Send message」
ボタンをクリックします。

プロンプトにマイクのアイ
コンが追加されている。
プロンプトに指示を出す
ときは、このアイコンを
クリックする

　プロンプトで指示した内容に沿って、ChatGPTが回答してテキストが
表示されます。テキストの右上に追加されているスピーカーアイコンをク
リックすると、テキストが音声で読み上げられます。

ChatGPTの回答が表示されたら、回答右上のスピーカーアイコンをクリックする

　「ChatGPTの音声コントロール」拡張機能をインストールしても、プロ
ンプトにはキーボードから質問や要望、指示などを入力できますし、
ChatGPTからの回答もテキストで表示されるので、うまく音声認識が行
われないときは、キーボードから打ち込んで指示を与えてもいいでしょう。

　通常のChatGPTと比べると、マイクやスピーカーのアイコンをクリッ
クする必要があるため、若干のタイムラグが発生してしまいます。

　英語や他の外国語のリスキリングには、このChatGPT＋ChatGPTの音
声コントロール拡張機能の組み合わせが最強といえるかもしれません。

ChatGPTでプログラミングを独学する

学ぶべき順序まで教えてくれる

　ChatGPTはユーザーが指定したプロンプトの内容に沿って、その回答をテキストで生成して表示してくれます。前章で紹介したように、ChatGPTは通常のテキストとともに、コンピュータのコードを生成するのも得意です。ですからChatGPTを利用して、**プログラミングを独学する**ことも可能なのです。

　リスキリングが推奨される分野のひとつに、プログラミングがあります。現在はデジタル機器がビジネスにも生活の中にも深く浸透してきており、これらを動作させるためのプログラムの需要も高まっています。

　そこでChatGPTを利用して、プログラミングを独学してみましょう。

▼独学の流れを調べ計画を立てる

　コンピュータのプログラムは、人間がわかる言葉でプログラムを記述し、これをコンパイラというソフトでコンピュータがわかるものに変換したり、インタプリタといって、人間が書いたプログラムを逐一解釈しながら実行したりするものなどがあります。

　どちらのプログラムでも、まず人間がわかる言葉で書かれているのがプログラムですが、その使う言葉によってプログラムやプログラミングそのものも異なってきます。この言葉のことを、プログラミング言語と呼んでいますが、プログラミングを学習するとは、すなわちプログラミング言語を学習し、どのように命令を書けば、どのようにプログラムが実行されるかを学び、実際にプログラムを作成することです。つまり、プログラミングを学習または独学するためには、どのプログラミング言語を学習するか、言語選びからやる必要があるのです。

　プログラミング言語には、いくつもの種類があります。時代によって流

行もあり、あるいは実行する環境によっても向き不向きがあります。たとえば、C言語、Java、Ruby、JavaScript、Pythonといったものが、現在よく利用され、また人気のあるプログラミング言語です。これらのうちでも、インターネット上で利用するならJavaやJavaScript、Python、Rubyなどがよく使われています。目的に合わせた言語選びも必要なのです。

▼プログラミングの基礎を学ぶ

学習する言語が決まったら、どのような順序で学んでいくのかを決めます。もうここからChatGPTを利用してみましょう。

プロンプトで、次のように指定します。「Python」の部分は、自分が学習したいプログラミング言語を入れて聞いてみましょう。

Pythonを学習したいと思います。どのような順序で勉強していけばよいのか教えてください。

Pythonを学習するための基本的な順序を以下に示します。これは一般的なガイドラインであり、学習スタイルや目標によって順序を変更することもできます。

1. Pythonの基本構文とデータ型の理解：
   ・変数、データ型（数値、文字列、リスト、タプル、辞書）、演算子、条件文、ループなどについて学びます。
   ・Pythonの公式ドキュメントやオンラインのチュートリアル、書籍などを活用しましょう。
   （以下略）

ChatGPTの回答では、まず基本構文とデータ型の理解を勉強するようにと答えています。次に、「Pythonの基本構文を教えてください」と質問してみました。

Pythonの基本構文を教えてください。

Pythonの基本構文のいくつかを以下に示します：

1．変数の宣言と代入：

（以下略）

　ChatGPTはPythonのいくつかの基本構文を表示してくれました。構文、つまりプログラムはコードと呼んでいますが、そのコードもいくつか表示されています。

> **📖 Memo**
>
> コードの右上の「Copy code」ボタンをクリックしてコードをコピーし、実際に作成するプログラムに貼り付け、プログラムの実行環境が整っていれば、実際に動作させることができる

▼やりたいことを指定してサンプルを作成する

　プログラミング学習の流れや基本構文がわかったら、実際にサンプルのプログラムを作成してみましょう。

　プログラムを作成するためには、コードを記述しなければなりません。簡単なプログラムを作成するといっても、そのためのコードの記述が必要なのです。

　そこでChatGPTに、**ごく簡単なプログラムを作ってもらいます**。たとえば、カレンダーを表示するプログラムです。

Pythonでカレンダーを表示するプログラムを作ってください。

もちろんです。Pythonでカレンダーを表示するためには、`calendar`モジュールを使用します。以下は、指定した年と月のカレンダーを表示するプログラムの例です。

```python
import calendar

def display_calendar(year, month):
    # カレンダーを生成する
    cal = calendar.monthcalendar(year, month)
```

（以下略）

　すると、カレンダーのモジュールを使用し、カレンダーを表示するコードを表示し、さらに実際に実行したときの表示例まで回答してくれました。
　実際には、表示されたコードをコピー＆ペーストしてプログラムを作成し、これを動かしてみる必要があります。正しく動くこともあれば、なぜかうまく動かないこともあるでしょう。

> 📖 **Memo**
>
> プログラムがうまく動かなかったときには、そのコードをプロンプトで指定し、どこがどう動かなかったのかを説明しながら、正しく動作するプログラムに変えてくれるよう指示するとよい

　コードの中の間違いを見つけ訂正することをデバッグといいますが、ChatGPTにコードを貼り付けて間違いを訂正させることもChatGPTで行えるわけです。

▼プログラムに機能を追加する

　基本的なプログラムが作成できたら、**今度はこのプログラムに別の機能を追加してみましょう。**

　機能を追加するのも、デバッグのときと同じように、作成したコードをプロンプトに貼り付け、このコードに別の機能を追加するよう指定します。たとえば、カレンダーを表示するプログラムに、今日の日付だけ四角で囲むような機能を追加したければ、次のように指定します。

 このコードに、プログラム実行時の日付を四角で囲む機能を追加してください。

　プログラム実行時の日付を四角で囲む機能を追加するために、`display_calendar（）`関数を次のように変更します。

```python
import calendar
import datetime

def display_calendar(year, month):
    # カレンダーを生成する
    cal = calendar.monthcalendar(year, month)

    # 現在の日付を取得する
    today = datetime.date.today()
```

（以下略）

> 📖 **Memo**
>
> 同じチャット内では多くの場合、前のやり取りを覚えているので、いちいちプロンプトにコードを貼り付ける必要はなく、同じチャットで続けていれば、回答されたコードに別の機能を追加するよう指定すれば実行できる

　こうしてまったく初めて学ぶ言語も基本からコードを作成し、機能を追加し、あるいは実現したい機能を指示し、プログラムを作成していくことで、やがてそのプログラミング言語を使ってプログラムを作成できるスキルが身についていくでしょう。

　プログラムコードについて膨大な知識を持つChatGPTだけに、プログラミングを学習し、あるいは独学するときも、優秀な先生となってくれるのです。

情報セキュリティを学ぶ

1つずつより詳しい説明を求めていく

　リスキリングの推奨分野のひとつに、セキュリティがあります。セキュリティとは、コンピュータ・セキュリティ、あるいはネット・セキュリティ、情報セキュリティなどのことを指しています。

　コンピュータ、特にインターネットに接続してコンピュータを利用する場合、セキュリティについての知識は不可欠です。コンピュータやデータ、あるいは個人情報などを守るためには、どのような点に気を付けるべきかといった知識や、情報が漏洩しないための方策、万が一情報が漏洩したときの対処など、知っておくべきことはたくさんあります。

　この情報セキュリティについても、ChatGPTでリスキリングしていきましょう。まず、「情報セキュリティの基礎について教えてください」と指定して、情報セキュリティの基本的な考え方について学びます。

情報セキュリティの基礎について教えてください。

もちろんです。情報セキュリティの基礎について説明します。

情報セキュリティは、情報を不正なアクセス、使用、開示、改竄から保護するための対策や手法の総称です。以下に情報セキュリティの基本的な概念と対策について説明します。

1. 機密性（Confidentiality）：情報が認可されていない人やシステムから保護されることを指します。機密性を守るためには、アクセス制御や暗号化などの技術を利用します。

（以下略）

　情報セキュリティについて、ChatGPTは基本的な概念と対策といいながら、複数の基礎概念を簡単に説明してくれました。

▼セキュリティの基礎を学ぶ

　ChatGPTが回答した情報セキュリティの基礎概念は、簡単なものでしかありません。そこで今度は、回答したそれぞれの概念について、もっと詳しく説明してくれるように指示します。

> **1について、もっと詳しく説明してください。**

機密性（Confidentiality）は、情報が認可されていない人やシステムから保護されることを指します。機密性を確保するためには、以下のような技術や手法が利用されます。

　1.アクセス制御（Access Control）：アクセス制御は、情報へのアクセスを制限する仕組みです。ユーザー認証、認可、権限管理などが含まれます。これにより、情報への不正なアクセスが制限され、機密情報が保護されます。
　（以下略）

　このようにChatGPTは、少し複雑な概念や事例などになると、番号を振りながら箇条書きで説明しようとする傾向があります。箇条書きでの説明は問題が整理されていて理解しやすいのですが、詳しい説明にはなっていません。
　そこで番号を指定しながら、1つずつ詳しく説明させます。**事例を挙げて説明させる**とよりわかりやすいでしょう。

問題や概念が理解できるようになるまで、１つずつより詳しい説明を求めていくのが、ChatGPTの賢い使い方

　新しい分野や新しい概念について学ぶとき、参考書なら書かれたものを読むことになります。人に教えてもらうときは、理解できるまで何度も質問することになります。インターネットで調べるのは、疑問を抱いた部分や用語などを調べるために、多くのサイトの記事を読む必要があることから、参考書で読むよりもより多くの時間が必要になります。

　あまり時間をかけずに効率的に調べられ、さらに何度でも疑問点をぶつけて回答を得られるChatGPTは、だからこそ独学や新しい分野の理解に向いているのです。

　ただし、何度も述べているように、2021年9月までのデータで学習している無料版のChatGPTは、新しい知識や情報を引き出すことができません。インターネット内の特定のサイトを調べたり、読み込んで生成するテキストに活かしたりする、といったこともできません。

　そうしたいくつかの制約があることを理解した上で、リスキリングのための独学にChatGPTを利用すれば、驚くほどの効果が上がるはずです。

趣味に活かす

さまざまな用途に活用する

　もちろん仕事やリスキリングだけでなく、ChatGPTは趣味にも活かすことができます。また、それらの趣味を突き詰めることで、独自のスキルにつながることもあります。

　たとえば、料理で考えてみましょう。どんな材料で、どんな料理ができるのか、その料理を作る手順はどうすればいいのか、そんなこともChatGPTなら即座に回答してくれます。

▼料理レシピを考える

　ChatGPTを料理に活かすプロンプトは2種類あります。1つは、材料から作か方のアドバイスをもらう方法、もう1つは食べたい料理から材料や作り方をアドバイスしてもらう方法です。

　まず、材料から料理を考えてみます。たとえば、次のようなプロンプトを指定します。

次の材料で作れる和風の料理を3種と、その作り方を教えてください。
材料：
にんじん
豚肉
玉ねぎ
にんにく

以下は、提供された材料を使用して作ることができる和風の料理の一部です。各料理の作り方を簡単に説明します。

1．豚肉と野菜の炒め物：
　・材料：豚肉、にんじん、玉ねぎ、にんにく、しょうゆ、ごま油、塩、こしょう
　・豚肉を細切りにし、にんじんと玉ねぎも薄切りにします。
　・フライパンにごま油を熱し、にんにくを加えて香りを出します。
　・豚肉を加えて炒め、色が変わるまで調理します。
　・にんじんと玉ねぎを加え、野菜がしんなりするまで炒めます。
　・しょうゆで調味し、塩とこしょうで味を調えます。
　・全体が炒められ、味がなじんだら完成です。
　（以下略）

　回答されたレシピから、作りたい料理や食べたい料理があれば、回答されている作り方を参考にして調理してみるといいでしょう。

　コツは**複数の料理を回答するよう指定する点**です。複数回答するよう指示しなくても、ChatGPTは複数の候補を挙げてくれることも多いのですが、やはり明確に「3種」「5種」などと指定すると、指定した数だけレシピを回答し、料理の選択肢が増えるわけです。

　2つ目のプロンプトは、次のように指定します。

2人分のカレーライスを作りたいのですが、材料と作り方を教えてください。

カレーライスは美味しい料理ですね！2人分のカレーライスの材料と作り方を以下に示します。

材料：
・2カップのごはん
・2皿分のカレールー（お好みの種類を選んでください）
・1個の玉ねぎ

（中略）

作り方：

1. 野菜の下ごしらえをします。玉ねぎはみじん切りにし、にんじんとじゃがいもは1センチほどの厚さで切ります。肉も一口サイズに切っておきます。

2. 鍋に油を熱し、玉ねぎを炒めます。玉ねぎが透明になるまで炒めたら、肉を加えて炒めます。肉の表面が白くなるまで炒め続けてください。

（以下略）

　こちらは詳しい材料を知るために、**人数を指定する**といいでしょう。これで必要な材料とその量、さらに調理にかかる時間なども調べることができます。

> ### 📖 Memo
> 材料から料理のレシピを考えてもらう際には、複数の候補を挙げてもらうよう指定したり、人数を指定したりするとうまくいく

▼資格試験に活かす

　リスキリングには推奨される分野がいくつかありましたが、仕事や将来のために、何らかの資格を取得したいといった学生やビジネスパーソンもいるでしょう。スキルアップのためにも、仕事に必要となる資格を取得するのは望ましいことです。

　もちろんこの資格の取得や試験にも、ChatGPTを役立てられます。資格試験の準備のためには、たいていはどの資格を取得したいのか決まっているでしょう。その資格を取得するために必要な勉強、準備などについて、ChatGPTにアドバイスしてもらいましょう。

宅建の資格を取りたいと思います。どのような資格があり、どのように準備していけばいいですか？

宅地建物取引士（たくちたてものとりひきし）という資格は、不動産業界での営業や仲介業務を行うために必要な資格です。宅建の資格を取得するためには、以下の手順に従って準備を進めることがお勧めです。

1. 学習計画の立案：宅建の試験範囲を把握し、自分のスケジュールに合わせて学習計画を立てましょう。試験範囲は法令関係、契約関係、不動産の基礎知識など多岐にわたります。

（以下略）

　取得したい資格によっては、実技が必要だったり、年に数回の試験があったりするものもあるでしょう。

　自分が取得したい資格について詳しく調べ、さらにどのように準備していけばいいのかをChatGPTに回答してもらったら、アドバイスに合わせて必要な勉強をしていくといいでしょう。

　その勉強の中でも、ChatGPTに質問して回答が得られこともあります。ネットの知識や参考書ばかりでなく、ChatGPTが生成するアドバイスの中にも、有益な情報が必ず入っているはずです。

▼読書感想文を書かせる

　ChatGPTにはネット内の膨大なデータとともに、参考として学習させた資料や文献があります。これらの文献の中には、古典や近代文学などに分類される小説や随筆といったものもあるはずです。

　実際、どの文献や書物を学習させているのか、OpenAI社に聞いてみなければわかりませんが、著作権が切れた書物などは学習に用いられているのではないかと予想できます。

　そこで近代文学などの小説の感想文を、ChatGPTに書かせてみましょう。小中学生程度のレベルなら、ChatGPTはそれなりの読書感想文を書いてしまいます。大学レベルや研究者レベルとなるとChatGPTは太刀打ちできませんが、ChatGPTに評論を生成させてみて、それを参考にして足りない部分を追加し、不要な部分を削り、自分の研究成果などを加味していけば、論文でも効率的に作成できるのではないでしょうか。

　読書感想文を出力させたいときは、プロンプトにいくつかの条件を記載し、条件に合ったテキストを生成させるようにします。たとえば、次のようなものです。

夏目漱石の小説「こころ」について、以下の条件に沿って感想文を作成してください。
条件：
全体を800字以上で1500字以下の長さにする
中学１年生がわかる文章とする
夏目漱石の他の作品も読んだ読者の感想とする
主人公に惹かれる読者の感想とする

　夏目漱石の小説「こころ」は、中学１年生でも楽しめる素晴らしい作品です。私は夏目漱石の他の作品も読んでいますが、「こころ」はその中でも特に印象深い作品です。

　この小説の主人公にはとても惹かれました。主人公の名前は「先生」と呼ばれる青年であり、彼の内面の葛藤や孤独感が描かれています。私は彼の心の奥底にある葛藤や不安を共感し、一緒に彼の心の旅について行きたいと感じました。先生は人とのつながりや社会との関わりに悩みながらも、自分の内面と向き合う姿勢に感銘を受けました。

　物語の展開も魅力的でした。先生が自分の過去と向き合い、他の登場

人物との出会いを通じて成長していく様子が描かれています。彼の心の変化や葛藤は、読者としても非常に興味深く、先生の心の中に入り込んでいるような感覚を覚えました。また、漱石の描写力も素晴らしく、登場人物たちの言葉や行動から彼らの心情を感じ取ることができました。

（以下略）

　このプロンプトのコツは、**なるべく条件を具体的に指定し、いくつも追加していくこと**です。さらに自分の感想があれば、それも条件として付け加えておきます。

　追加した条件が多ければ多いほど、実際に読んだ人の感想としてまとまっているはずです。もちろん、ChatGPTが生成するもので自分が最初から書くわけではありませんから、大幅な省力化、時短にもつながります。

　ChatGPTの教育現場での利用についてはさまざまな意見が出され、その是非が議論されていますが、将来的には生成AIを利用しないという選択肢はないでしょう。

　重要なのは、利用するかしないかではなく、どのように利用し、効率化し、成果を出していくか、その方法なのです。

Chapter 8

もっと便利な
ChatGPTの使い方
──拡張機能と
プラグインの使い方

GPT

↖↗↙↘ チャット履歴を保存する

生成AIとの交流の歴史を確認する

　ChatGPTでいろいろな指示や質問のチャットを行うと、左側画面のチャット履歴がいくつもたまっていきます。チャットは、**同じチャットなら以前の質問や回答を覚え、学習しているため、会話がスムーズに進んでいく**というメリットがあります。

　ところが、会話がたくさんになると、以前どのような会話を行ったのかわからなくなってしまいます。会話そのものは、右側のチャット内容の表示画面でコピー＆ペーストすれば、メモ帳やエディタ、ワープロソフトなどに貼り付けて保存できますが、チャット数が多くなればこれも面倒です。

　そこでチャット数が増えてきたり、チャット内容が重要だから保存しておきたいと思ったりしたら、**チャット履歴を保存しておきましょう。**

　チャット履歴を保存するためには、左側の最下行に表示されている自分のアカウントの右端にあるメニューをクリックし、現れたメニューから「Settings」をクリックします。すると「Settings」ダイアログボックスが現れるので、「Data controls」をクリックします。

> 🖐 **Point**
>
> 重要なチャット履歴は保存しておくと、次に同じような質問をする際に的確な回答を返してくれる

　「Data controls」欄の「Export data」メニューの右端にある「Export」ボタンをクリックすると、「Request data export - are you sure?」と書かれたダイアログボックスに変わります。このダイアログボックスで、「Confirm export」ボタンをクリックすると、OpenAI社からChatGPTに登録しているメールアドレス宛てに、自分のチャットデータのダウンロード先へのリ

ンクが書かれたメールが届きます。

　届いたメールに書かれている「Download data export」リンクをクリックすると、zip形式のファイルがダウンロードされます。このファイルを開くと、いくつかのファイルとともにchat.htmlというファイルが入っているので、これをブラウザで読み込むと、自分のチャット履歴がすべて表示されます。ChatGPTへの質問や要望に続けて、ChatGPTの回答などが書かれたものです。

　これらの履歴を見れば、どんな質問や要望を指示し、それに対してChatGPTがどんな回答をしてきたかがわかります。 この履歴は、次に同じような指示を出すときに参考にしてもよいですし、ChatGPTがどう答えていたか検索してみるのもいいでしょう。ChatGPTの履歴こそ、あなたと生成AIとの交流の歴史なのです。

1 メニューをクリックし（①）、現れたメニューから「Settings」をクリックする（②）

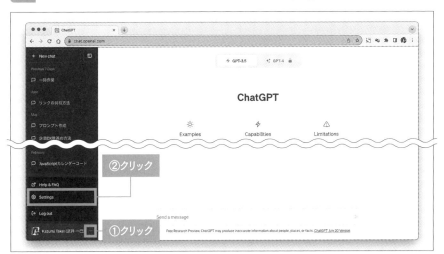

2 「Data controls」を選択し（①）、「Export」をクリックする（②）

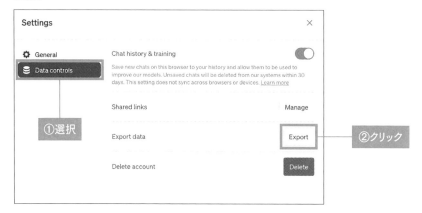

3 「Request data export - are you sure?」と書かれたダイアログボックスに変わるので、「Confirm export」ボタンをクリックする

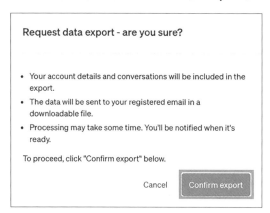

4 届いたメール内の「Download data export」をクリックするとファイルがダウンロードされる

5 ダウンロードされたファイルの中から「chat.html」を開くと、チャット履歴がすべて表示される

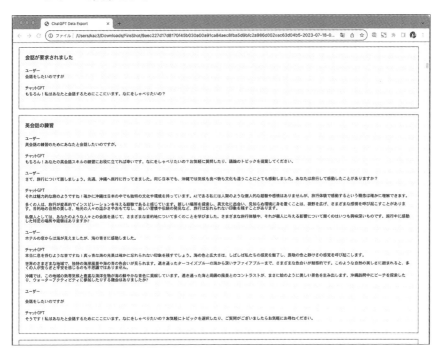

↖↗ ブラウザ拡張機能でもっと便利に活用する
↙↘
拡張機能を使ってどのようなことができるのか、気軽に試してみる

　ChatGPTはWebページを閲覧するためのソフトであるブラウザで利用しますが、このブラウザ、特にChromeにはブラウザの機能を少し拡張して便利にする拡張機能が配布されています。

　ChromeでChatGPTを利用するなら、ChatGPT用の拡張機能があるので、便利なものを紹介しておきましょう。

Chromeウェブストアで拡張機能をインストールする

　なお、Chromeの拡張機能は、GoogleのChromeウェブストア（https://chrome.google.com/webstore/category/extensions?hl＝ja）で配布されています。どの拡張機能もブラウザへのインストール方法はほぼ同じで、インストールしたい拡張機能のページにある「Chromeに追加」ボタンをクリックすれば、自動的にブラウザにインストールされます。

　ブラウザから削除したいときは、Chromeの右上の［⋮］（メニュー）ボタンをクリックし、メニューから「その他の機能」-「拡張機能」を指定します。すると「拡張機能」という画面が開き、インストールされている拡張機能が一覧表示されます。

　この画面で、不要な拡張機能の「削除」ボタンをクリックすれば、指定した拡張機能がChromeから削除されます。拡張機能を削除してしまっても、再びChromeウェブストアにアクセスし、該当の拡張機能をインスト

ールすれば再度利用できるので、拡張機能を使ってどのようなことができるのか、気軽に試してみることもできます。

不要な拡張機能の「削除」ボタンをクリックすれば、拡張機能はブラウザから削除される

📖 Memo

多くの拡張機能をインストールすると、ブラウザの動作が少し重くなることがある。実際に使ってみて、自分には不要だと思った拡張機能は、ブラウザから削除しておいたほうが快適

　また、拡張機能のアイコンをブラウザのアドレスバーの右側に表示させることもできます。インストールした拡張機能によっては、アイコンをクリックして機能を実行するものもあるので、アイコンが表示されていたほうが便利なのです。

　拡張機能のアイコンを、アドレスバーの右側に表示させるには、「拡張機能」というアイコンをクリックし、表示させたい拡張機能の右側にあるピンの形のアイコンをクリックします。これで指定した拡張機能のアイコンが、アドレスバーの右側に表示されるようになります。

👆 Point

拡張機能のアイコンをブラウザのアドレスバーの右側に表示させると、使いやすくなる

ピンのアイコンをクリックすると、アドレスバーの右側にアイコンが表示されるようになる

⌜⌝ Google検索でChatGPTを使う──ChatGPT for Google
⌞⌟ ChatGPTの回答とGoogle検索の結果を比べる

　無料版のChatGPTは、2021年9月までのデータで学習しているため、それ以後の新しい知識や情報を引き出すことができません。そのため、ChatGPTでテキストを生成させても、後からGoogleで検索して新しい情報などを見つけ、生成されたテキストに自分で追加したり訂正したりする必要があるケースもあります。

　こんなときに便利なのが、**ChatGPT for Google**という拡張機能です。この拡張機能をインストールしておくと、Googleで検索したとき、同じ画面にChatGPTの回答も表示されるようになります。

　ChatGPTの回答とGoogle検索の結果を比べ、ChatGPTが生成したテキストに足りない情報のページを、ヒットした検索結果から指定してアクセスする、といったことが可能になります。Googleの検索をもっと効率よく活用できるようになるのです。

ChatGPT for Googleをインストールしてアイコンをクリックすると、まずChatGPTにログインするようダイアログボックスが出る

Googleで検索を行うと、画面右側にChatGPTの回答が自動的に表示される

　また、このままChatGPTとのチャットを続けることもできます。Google
を検索して表示された結果で、プロンプトを追加したり、別のプロンプト
を指定したりしてチャットを続け、さまざまな回答を引き出すことも可能
です。

　何かのテキストを生成させるために、いちいちChatGPTのページにア
クセスする必要がなくなるのも、ユーザーにとっては便利かもしれません。

　ChatGPT for Googleで生成された回答は、ChatGPTのチャット履歴にも
残されます。ChatGPTのページにアクセスすれば、そのまま会話を続け
たり、回答をコピーしたりすることもできます。

Point

ChatGPT for Googleを利用すれば、ChatGPTの回答とGoogle検索の結果を比べられ、Googleの検索をもっと効率よく活用できるようになる

Memo

Google検索ページに表示されたChatGPTのアイコンのすぐ右にある歯車をクリックすると、ChatGPT for Googleのオプションが設定・変更できる。変更できるオプションはそれほど多くないが、ChatGPTで使用される言語を指定したり、ChatGPT for Google欄のテーマを変更したりして、Google画面内で目立たせることもできる

⌜↖↗⌝ 検索結果を回答に追加する──WebChatGPT
⌞↙↘⌟ 最新の情報を盛り込んで回答させる

　ChatGPTを使っていて不便なのは、やはり最新の情報などが回答に盛り込まれていない点です。ChatGPTと会話をしていて、最新の情報が欲しいケースもときどきあるでしょう。

　ところが、無料版のChatGPTが学習しているデータは2021年9月までのデータのため、それ以降のことを聞いても、次のように答えられなかったり、時にはウソの回答をしたりすることさえあります。

👤 2022年のアマゾンの売上高を教えてください。

🧠 私の知識のカットオフ日は2021年9月なので、2022年のアマゾンの売上高については直接的な情報は提供できません。アマゾンの正確な売上高については、公式の財務報告や経済ニュースなどを参照してください。アマゾンの公式ウェブサイトや財務報告書、金融関連のニュースサイトなどは、最新の売上高に関する情報を提供している可能性があります。

　最新の情報を取り込みたいときは、Googleなどで検索して調べるか、あるいは有料版のChatGPT Plusに移行したり、ChatGPT-4も利用できるマイクロソフトのBingを利用したりする方法しかありません。

　しかし、実は拡張機能をインストールすると、無料版のChatGPTの回答にGoogleで検索した情報を取り込み、最新の内容で回答させることができるようになります。それが**WebChatGPT**という拡張機能です。

　これをインストールしてChatGPTにアクセスすると、プロンプト欄のすぐ下にいくつかのメニューが表示されます。このメニューで、Webアク

WebChatGPTをインストールすると、プロンプト欄の下にオプションボタンが表示される

セスを許可するかどうか、検索時期をいつにするかなど、いくつかオプションが設定・変更できますが、まずデフォルトの状態で、ChatGPTが答えられなかった質問をしてみましょう。

　WebChatGPTをインストールした状態で、先ほどと同様に「2022年のアマゾンの売上高」を質問してみると、ChatGPTの回答にはGoogleで検索した情報が取り込まれて表示されているのがわかります。

NUMBER:1
URL：https://news.yahoo.co.jp/articles/8c495f070e15d5e6a5d4b9c3a2cb520e3fc72025
TITLE：アマゾン日本事業の売上高は約3.2兆円、ドルベースは243億ドル（前期比5.7％増）【Amazonの2022年実績まとめ】（ネットショップ担当者フォーラム）
CONTENT：アマゾン日本事業の2022年（2022年1〜12月）売上高は円ベースで3兆1958億7600万円だった（2022年の平均為替レート

を1ドル＝131円で換算）。米Amazonが公表した「年次報告書」など
から、2022年のAmazon日本事業、米Amazonの状況をまとめた。
（中略）
2022年のアマゾンの売上高は、アマゾン日本事業の円ベースでの売
上高が3兆1958億7600万円（約3.2兆円）でした［1］。また、日本事
業のドルベースでの売上高は243億9600万ドルで、前期比で5.7％増
加しています［1］。

参考情報：
・［1］アマゾン日本事業の売上高は約3.2兆円、ドルベースは243億
ドル（前期比5.7％増）【Amazonの2022年実績まとめ】（ネットショ
ップ担当者フォーラム）- https://news.yahoo.co.jp/articles/8c4
95f070e15d5e6a5d4b9c3a2cb520e3fc72025

　回答には、Webを検索したときの結果や関連情報が表示され、そのデー
タが掲載されているページのURLも表示されています。さらに、それら
の情報をもとにChatGPTが生成した回答が表示されています。
　これで最新情報を盛り込んだテキストを生成させるために、ChatGPT
PlusやBingを利用しなくてもよくなります。無料版のChatGPTが、もっと
便利に活用できるようになるわけです。

👆 **Point**
WebChatGPTを使用すれば最新の情報を盛り込んだ検索結果が表示される

❗ **注意‼**
Webを検索した結果がすべて正確であるとは限らないため、Web
ChatGPTを利用したときのChatGPTの回答も、正確なものとは限らない

↖↗↙↘ どこでもChatGPTが利用できる──ChatGPTアシスタント

Wordでの文書作成時にもChatGPTが利用できる

　Webページを見ているときにも、ChatGPTにもっと詳しく解説してもらいたかったり、検索しているときに、ChatGPTを使ってさまざまな質問をしたいときもあるでしょう。さらに、Googleドキュメントやオンライン版Wordを利用しているときに、ChatGPTからの回答を文書の中で使いたい、といったケースも少なくないでしょう。

　こんなときは、その都度ChatGPTのページに移動して、こちらで質問や指示をして回答が表示されたら、必要な箇所をコピー＆ペーストして文書に取り込んだり、ChatGPTの回答を参照してより専門的なページに移動したり、といった面倒な作業をしなければならないのでしょうか。

　もし、どのページやどのサイトにいても、その場でChatGPTが利用できたらどうでしょう。たとえば、オンライン版のWordで文書を作成しているとき、その場でChatGPTが利用できたら便利ではないでしょうか。それを可能にしてくれるのが、**ChatGPTアシスタント**という拡張機能です。

　ChatGPTアシスタントをインストールしたら、ツールバーにChatGPTアシスタントのアイコンを表示するよう設定しておきましょう。先に表示されている拡張機能アイコンをクリックし、現れた拡張機能一覧でChatGPTアシスタントの右端のピンをクリックして有効にします。これでChatGPTアシスタントのアイコンがツールバーに表示されます。

　たとえば、オンライン版Wordのページで文書を作成しているときにツールバーのChatGPTアシスタントのアイコンをクリックすると、画面右上にChatGPTアシスタントの小さなウィンドウが表示されます。このウィンドウでChatGPTに指示を出すと、ChatGPTが回答を表示してくれます。この回答をコピー＆ペーストして作成中のWord中に貼り付け、文書の続きを書き進める、といった操作が行えます。

Wordだけではありません。他のサイトのページを表示しているときや、GoogleやBing、Yahoo!などで検索しているときなど、ChatGPTアシスタントのアイコンをクリックするだけで、いつでも、どこでもChatGPTが利用できるようになります。

また、ChatGPTアシスタントで行ったチャットは、もちろんChatGPTのページのチャット履歴にも残されています。ChatGPTのページにアクセスし、このチャットの続きを行うことも可能です。

オンライン版Wordの画面で、ChatGPTアシスタントを使いChatGPTに指示を出す

⌜↖ ↗⌝ Gmailの文面を作成する──ChatGPT Writer
⌊↙ ↘⌋ 1日約3時間使っているメール作成を効率化する

Gmailを利用しているなら、**ChatGPT Writer**拡張機能を使ってみるのも便利です。この拡張機能は、Gmailの文面を作成してくれるものです。

Gmailにアクセスし、メールの作成画面または返信や転送などの画面を表示します。ChatGPT Writer拡張機能は、メールの文面を作成したらこれをコピーなどしておかないと消えてしまうからです。

⓵ 注意‼

ChatGPT Writer は、Gmailの画面でしか動作しない

ここでは、メールの新規作成を指定してみましょう。メールの新規作成画面でChatGPT Writerアイコンをクリックします。するとChatGPT Writerダイアログボックスが現れます。

> **⚡ ChatGPT Writer** PRO 🔒   Login ✕
>
> **Email context**
>
> (Paste previous email text to generate a reply or leave it empty if you're writing a new email)
>
> **Briefly enter what do you want to email**
> ▶ See examples
>
> Write an email that...|
>
> Contact   Settings   Generate Email

Gmail画面にChatGPT Writerダイアログボックスが表示される

このダイアログボックスで、どのようなメールを作成したいかを「Briefly enter what do you want to email」欄で指定します。「Email context」という欄もありますが、こちらは特に指定しなくても構いません。

作成したいメールを指定したら、「Generate Email」ボタンをクリックします。これでしばらくすると、ChatGPTを利用して指定したプロンプトのメール文面が作成されて表示されます。

メールが表示されたら、「Insert generated response」ボタンをクリックします。これで作成中のメールのカーソル位置に、ChatGPTが生成したメールが挿入されます。

あとは必要箇所を訂正し、あるいは内容を編集し、宛先や件名などを記入・確認して、最後に「送信」ボタンをクリックするだけです。これでメール作業がずいぶんと軽減されるのではないでしょうか。

日本ビジネスメール協会の「ビジネスメール実態調査2022」（https://businessmail.or.jp/research/2022-result-2/）によれば、ビジネスパーソンが1日に送信するメールは平均16.27通、受信メールはなんと66.87通にもなるという結果が出ています。

さらに1通のメールを書くのにかかる時間は、平均で6分5秒とか。受信したメールを読むのに要する時間は、1分24秒。つまり、1日平均16.27通のメールを作成して送信しますから、メール作成に1日約99分、受信したメールに目を通すのに1日約94分。合計すればメール作業に1日約3時間も費やしていることになります。

ChatGPT Writer拡張機能を利用すれば、この時間をもっと短縮できるのではないでしょうか。効率的なメール作業のために、ChatGPT Writerを活用してみるといいでしょう。

1　メールの新規作成画面でChatGPT Writerアイコンをクリックする

2　「Briefly enter what do you want to email」欄に作成したいメールを指定し（①）、「Generate Email」をクリックする（②）

3 メールがChatGPTで作成されて表示される

4 生成されたメールが、作成中のメールに挿入された

↖ ↗ プロンプトをフォルダ管理できる——Superpower ChatGPT
↙ ↘ チャット履歴をテーマごとに分類してまとめておく

　ChatGPTでチャットを行うと、どのようなチャットを行ったのか履歴が残ります。もちろん、不要になったチャット履歴は削除でき、必要なら履歴にわかりやすい名前を付け、後々のために自分宛てにすべてのチャット履歴を送っておくこともできます。

　しかし、同じようなテーマでチャットを行ったときは、テーマごとに分類してまとめておきたいときもあるでしょう。そんなとき便利なのが、**Superpower ChatGPT**拡張機能です。

　これは、ChatGPTの履歴をフォルダで分類しておける機能です。テーマや時期ごとにフォルダを作成しておけば、後からチャット履歴を探すのが容易になります。

　この拡張機能をインストールすると、ChatGPTの左側のチャット履歴画面の下に「Export All」と「Newsletter Archive」という2つの項目が追加されています。

　また、このサイドバーの上部には「Search conversations」と書かれたボックスも追加されています。

　さらに履歴の途中に、「My Prompt History」「Community Prompts」という項目も追加されているのがわかります。

　まず、フォルダの作成です。サイドバー上部の「Search conversations」と書かれたボックスの右にある「＋」ボタンをクリックします。するとフォルダ名の入力ボックスが現れるので、フォルダ名を入力してフォルダを作成します。

　フォルダが作成できたら、このフォルダに分類したいチャット履歴にカーソルを合わせ、その履歴をドラッグ＆ドロップでフォルダに移動します。

これで履歴がフォルダ内に移動して表示されます。フォルダはクリックするごとに、開いたり閉じたりします。**フォルダ分類しておけば、履歴を表示したサイドバーがすっきりする、テーマなどでフォルダ分類すれば履歴が探しやすくなる、というメリットも出てきます。**

Superpower ChatGPT拡張機能をインストールすると、サイドバーにいくつかの項目が追加されている

項　　目	内　　容
①Export All	すべてのチャット履歴をダウンロードする
②Newsletter Archive	Superpower ChatGPTのニュースレターを表示する
③Search conversations	チャット履歴とチャット内容を検索する
④My Prompt History	指定したプロンプトの履歴を検索する
⑤Community Prompts	コミュニティで共有したイプロンプトを検索する

1 サイドバー上部にある「+」ボタンをクリックするとフォルダが作成される

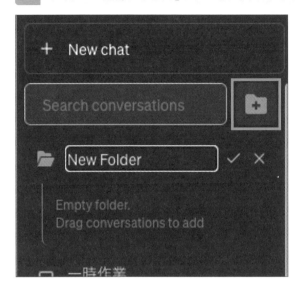

2 フォルダ名を入力する

3 **分類したいチャットをドラッグ＆ドロップする**

> 🔖 **Memo**
>
> フォルダの上にカーソルを合わせると、右側にアイコンが表示され、フォルダ名を変更したりフォルダを削除したりできるが、便利なのはパレットアイコンをクリックし、フォルダの色を変更する機能。フォルダの色を変更しておけば、他のチャット履歴と素早く区別できる

　Superpower ChatGPT拡張機能には、他にもいくつかの機能がありますが、このフォルダ作成・分類機能だけでも、ChatGPTがもっと便利になります。慣れてきたら他の機能も活用してみるといいでしょう。

　なお、Superpower ChatGPT拡張機能をインストールしたブラウザ以外のブラウザでChatGPTにアクセスしたときは、履歴のフォルダ分類は無効になっています。ただし、フォルダに分類していた履歴はそのまま残っているので、フォルダと一緒に履歴も消えてしまった、などといった心配は無用です。

「↖ ↗」 海外のYouTube動画を観る──YouTube Summary with ChatGPT & Claude
「↙ ↘」 海外の情報を取得するのに役立つ

　テキスト生成AIであるChatGPTは、文章の作成に特化しています。特定の拡張機能をインストールしたり、スマホなどで利用したりしない限り、音声操作することもできません。

　ところが、最近では情報が動画で配信されたり、あるいはリモート会議システムで会議を行ったりと、テキストよりも動画や音声などに接し、処理しなければならない機会も多いのではないでしょうか。

　特に海外の情報などをYouTubeで定期的に取得しているという人も少なくないはずです。こんなとき、「**YouTube Summary with ChatGPT**

字幕情報がボックス内に表示される

& Claude」拡張機能が便利に活用できます。

　これをインストールしてYouTubeにアクセスすると、動画の右上に「Transcript & Summary」というバーが追加されています。

　この拡張機能は、YouTubeの動画の中で字幕が付いている場合、その字幕を抜き出して表示してくれる拡張機能です。

　さらに表示された字幕は、そのままChatGPTのプロンプトに送り、そのまま要約したり日本語に翻訳させたり、といったことが可能な拡張機能なのです。

　YouTube動画を表示した状態で、「Transcript & Summary」バーをクリックすると、字幕が入っている動画はその字幕だけが抜き出されてボックス内に表示されていきます。動画によっては、動画そのものに字幕が表示されなくても、字幕が入っている動画もあります。

　実際に使ってみるとよくわかりますが、この拡張機能を利用すると、字幕のテキストが驚くほど速くデータ化されて表示されます。動画を観るよりも何倍も素早く内容を知ることができるのです。

　動画の字幕が日本語以外のものだったら、「Transcript & Summary」バーのChatGPTのアイコンをクリックしてみましょう。するとChatGPTのページに移動し、字幕内容がプロンプトに追加されます。

　プロンプトの先頭には、「Summarize the following」と記載されており、

動画の字幕がプロンプトに追加される

要約するよう指示されています。このまま Enter キーを押せば、動画の字幕内容が要約されて表示されます。

　英語などの字幕では、要約されたものはやはり英語のままですから、次に「日本語に翻訳してください」と指定してみましょう。これで要約が日本語で表示されます。

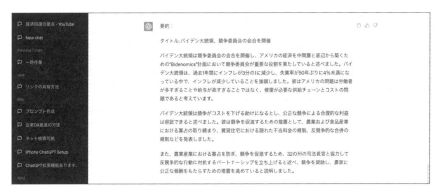

要約された英語が日本語に翻訳されて表示された

　この拡張機能がどれほど便利かこれでおわかりでしょう。たとえ1時間に及ぶ、それも日本語以外の動画でも、字幕さえ入っていればほんの30秒ほどで字幕が抜き出され、要約され、さらに日本語に翻訳されて表示されてしまうのです。これほどタイパ（タイム・パフォーマンス）の高い方法は、他にはないのではないでしょうか。

　動画、それも海外の動画から素早く情報を得たいといったユーザーなら、ぜひこの拡張機能を使ってみてください。きっとその便利さから手放せなくなるはずです。

Point

　「YouTube Summary with ChatGPT & Claude」を利用すれば、動画の内容を要約してくれ、タイパ向上にもつながる

⬉⬈⬋⬊ Google検索を要約する──ChatGPT Glarity
WebサイトやYouTubeの字幕も要約できる

前節の「YouTube Summary with ChatGPT & Claude」拡張機能は、YouTube動画の字幕を取得し、要約したり翻訳したりできるものでしたが、同じようにGoogleの検索結果を要約してくれる拡張機能もあります。**「ChatGPT Glarity」**拡張機能です。

これをインストールしてGoogleで検索を行うと、検索結果が表示されたページの右側に、「Glarity Summary」というボックスが表示され、今検索して表示された結果から、指定したキーワードに関する説明が要約して表示されるようになります。

通常なら、表示された検索結果で各URLをクリックして該当ページに

Googleでの検索結果が要約されて表示される

移動し、ページ内を閲覧し、また別のページに移動し……、といった操作を繰り返して、検索したキーワードの意味などを把握することになります。

　ところが、この機能を利用すれば、Google検索を行うだけです。あとは指定したキーワードに関する説明が要約されて表示され、しかも説明のために参照したページまで列記されています。

> 📖 **Memo**
>
> Glarity Summaryが生成した要約は、コピーボタンをクリックしてクリップボードにコピーし、別のアプリなどに貼り付けて利用することもできる

　この要約の作成機能は、実はGoogleの検索ページでだけ利用できる機能ではありません。通常のWebサイトやニュースサイトなどで記事を表示させ、ツールバーに表示されたGlarity Summaryのアイコンをクリックすると、「Glarity Summary」ボックスが表示されます。ここで「Summary」ボタンをクリックすれば、表示しているページ内の要約を簡単に作成して

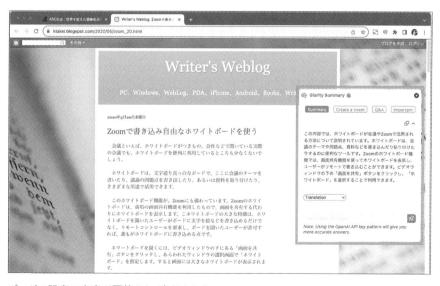

ブログの記事の内容が要約され、表示された

表示してくれます。

　また、「YouTube Summary with ChatGPT & Claude」拡張機能と同じように、YouTube動画の字幕を要約する機能もあります。さらにGlarity Summary拡張機能には、検索して要約されたテキストからX（旧Twitter）（X）用のツイート（ポスト）を自動的に生成させる機能まであります。

　いくつかの便利機能が盛り込まれたGlarity Summary拡張機能ですから、1つでも便利な機能があれば活用してみるといいでしょう。

⌜⌝ ChatGPTをもっと便利にするプラグイン
⌞⌟ 有料版に移行すればさらなる活用が可能に

　ChatGPTには、ブラウザ拡張機能ばかりでなく、**OpenAI社が配布している正式なプラグイン機能**もあります。

　プラグインとは、機能を拡張するための追加モジュールです。モジュールというのは部品のようなもので、ChatGPTにプラグインを追加すれば、テキスト生成機能を拡張できるというものです。

　このChatGPT用のプラグインが、本書執筆時点（2023年8月15日）でも600以上配布されています。ChatGPTをもっと便利に、もっと活用したければ、自分に合った便利なプラグインを活用するのも賢い方法なのです。

　ただし、プラグインを利用するためには、有料版のChatGPT Plusに移行する必要があります。無料版のChatGPTと、有料版のChatGPT Plusには、次のような違いがあります。

機　能	ChatGPT無料版	ChatGPT Plus
使用GPTモデル	GPT-3.5	GPT-4
接続	混雑時にエラーが出やすい	安定的な接続
学習データ	2021年9月まで	2021年9月まで
生成速度	遅い	速い
生成品質	低い	高い
料金	無料	20ドル／月

　大きな違いは2つです。1つは、無料版の言語モデルにはGPT-3.5が利用されているのに対し、有料版のChatGPT PlusにはGPT-4が利用されている点です。GPTとは自然な文章を生成する言語モデルのことで、GPT-3.5では約1兆7,500億個のパラメータを持ち、最大約5,000文字のテキストを生成・処理できます。一方、GPT-4は約100兆個のパラメータを持ち、

最大約2万5,000文字のテキストを生成・処理できます。そのため、より長くて精度の高いテキストを生成させたければ、ChatGPT Plusを利用したほうが便利なのです。

ChatGPT Plusは、本書執筆時は月額20ドル（約2,900円）の料金です。仕事に利用するとか、無料版のChatGPTより精度の高い回答が欲しいときには、ChatGPT Plusに移行することも考えてみるといいでしょう。

> **⊕ Point**
>
> 仕事への利用や、より精度の高い回答が欲しいときには有料版への移行も検討する

▼有料版への登録と設定

有料版のChatGPT Plusを利用したいときは、無料版からアップグレードすることになります。

ChatGPTの左のサイドバーの下のほうに、「Upgrade to Plus」という項目があります。この項目をクリックすると、「Your plan」というダイアログボックスが表示されます。

グレー表示になっているほう、ここでは「Free plan」（無料版）が現在のプランです。右側には「USD $20/mo」と書かれたプランがあります。月額20ドルの有料プランです。こちらのChatGPT Plusに移行するには、「Upgrade to Plus」ボタンをクリックします。

「Upgrade to Plus」ボタンをクリックすると、支払い情報を入力する画面に変わります。支払いに利用するカード情報などを入力し、「申し込む」ボタンをクリックします。

カード情報が送られて認証されれば、以後はChatGPTにアクセスするとChatGPT Plusが利用できるようになります。

1 サイドバーにある「Upgrade to Plus」をクリックする

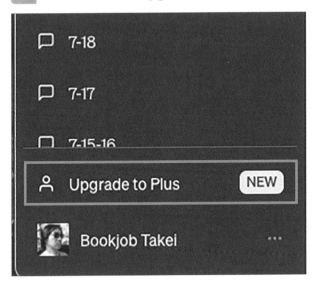

2 「Your plan」というダイアログボックスが表示されるので、「Upgrade plan」をクリックする

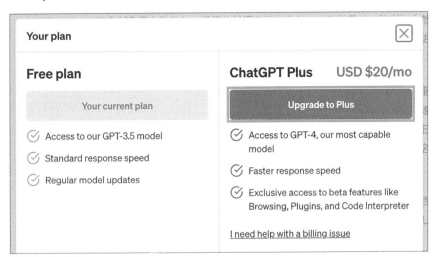

3 カード情報などを入力し、「申し込む」をクリックする

4 ChatGPT Plusが利用できるようになった

「↖↗」600種類のプラグインを使う
「↙↘」他のアプリと組み合わせて利用する

　ChatGPT Plusが利用できるようになったら、プラグインも利用できるようになります。

　ChatGPTのプラグインには、プロンプトでURLを指定して、特定のページをもとに回答してくれるWebPilotや、食べログと連携し、レストランの検索と予約を助けてくれるプラグイン、それに指定したWebサイトやドキュメントの情報を参照し、AIチャットボットを作成してくれるChatWithWebsiteプラグインというものまで、現在約600種類のプラグインが登録されています。

　これらのプラグインを利用するためには、ChatGPTにログインしたらサイドバーの下部にある自分の名前をクリックし、現れたメニューから「Settings」を選択します。すると「Settings」ダイアログボックスが現れるので、「Beta features」欄で「Plugins」をクリックして有効にします。

　さらにChatGPTのNew chatの画面で、上部の「GPT-4」をクリックして、テキスト生成にGPT-4を利用するように変更します。また、「GPT-4」ボタンにマウスカーソルを合わせるとメニューが表示されるので、「Plugins Beta」にカーソルを合わせてこちらを選択しておきます。

　まだプラグインをインストールしていないので、画面には「No plugins enabled」と表示されています。これをクリックすると、さらにメニューが表示されるので、「Plugin store」をクリックします。

　これでChatGPTで利用できるプラグインの一覧が表示されます。プラグインを利用するためには、このPlugin storeの中から利用したいプラグインを選択し、インストールする必要があります。

　Plugin storeには「Popular」「New」「All」の各ボタンがあり、さらに検索ボックスも配置されています。それぞれのボタンをクリックしてプラグ

インを並べ替え、あるいは検索して、利用したいプラグインを探しましょう。

1 SettingsダイアログボックスでPluginsを有効にする

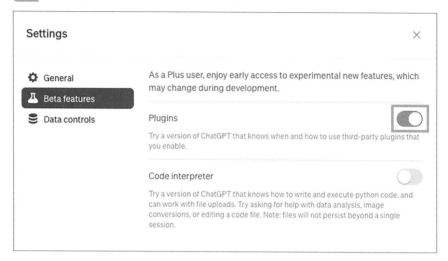

2 New chat画面で「GPT-4」をクリックして有効にし（①）、「Plugins Beta」を選択する（②）

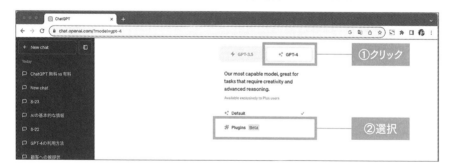

3 「No plugins enabled」をクリックし、「Plugin store」を指定する

4 Plugin storeが表示されるので、利用したいプラグインのアイコンの横にある「Install」ボタンをクリックする

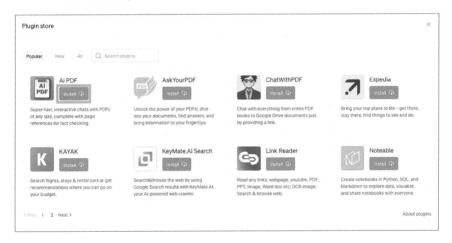

　利用したいプラグインが見つかったら、プラグインのアイコンの横にある「Install」ボタンをクリックします。

　ボタンをクリックしても特に変わりませんが、「Install」ボタンが「Uninstall」ボタンに変わります。これで選択したプラグインがインストールされ、利用できるようになりました。

　ChatGPTで利用できるプラグインは、本書執筆時で600種類近くもありました。その中でも便利なプラグインをいくつか紹介します。

▼豊富な旅行プランが作成できる——Expedia

　旅行予約サイトの**Expedia**と連携し、ChatGPTで旅行プランが作成できるプラグインです。

　新しいチャットを開き、旅行の日程や希望などをプロンプトに入力して実行してみましょう。

Model: Plugins ・ Enabled plugins:

8月20日から8月31日までの日程で、沖縄に旅行に行きたいと思っています。おすすめのホテルとプランを教えてください。

もちろんです、沖縄の旅行、楽しみですね！まずは、おすすめの宿泊施設を探してみましょう。少々お待ちください。

Used Expedia ∨

素晴らしい沖縄のホテルを3つ見つけました。以下の情報はデフォルトのパラメーターを使用して検索した結果ですが、より詳細な条件を設定することも可能です。それでは、各ホテルの詳細をご覧ください。

1. Okinawa NaHaNa Hotel & Spa
   - このホテルはフルサービスのスパ、レストラン、バーが完備されています。共有エリアでのWi-Fiは無料です。さらに、バレーパーキング、共有エリアでのコーヒーやお茶、スパサービスも提供しています。

2. Hotel SANSUI Naha
   - このホテルには2つの屋外プール、フルサービスのスパ、レストランがあります。共有エリアでのWi-Fiは無料です。その他の設備として、屋上テラス、ランドリー設備、24時間対応のフロントデスクがあります。

3. Hotel Gracery Naha
   - このホテルにはレストランがあり、セルフパーキングやコンシェルジュサービスも提供しています。共有エリアでのWi-Fiは無料です。その他に、ドライクリーニング、ランドリー設備、24時間対応のフロントデスクも完備しています。

これらのホテルはいかがでしょうか？もしご希望に合わせてさらに詳細な条件を設定したい場合は、お知らせください。また、次にフライトやアクティビティ、レンタカーの情報をご希望であればお知らせください。あなたの旅行が最高のものになるよう、最適なプランを一緒に見つけましょう！

Okinawa NaHaNa Hotel & Spa
expedia.com

Hotel SANSUI Naha
expedia.com

Hotel Gracery Naha
expedia.com

旅行予約サイトのExpediaと連携して、お勧めの旅行プランが回答された

ChatGPTの回答の途中、「Used Expedia」というボタンが表示され、Expediaプラグインが利用されていることがわかります。

回答には3つのプランが提案され、最後には提案しているプランで紹介したホテルの写真まで表示されています。無料版のChatGPTで指示したときは、回答に画像などは表示されませんでしたが、プラグインを利用すると画像を表示してくれるものまであると知って驚くのではないでしょうか。

また、この画像をクリックすると、写真のホテルのサイトに移動して、ホテルの概要までわかります。旅行好きの人や、仕事で出張などの予定を立てるときに便利に活用できるプラグインです。

▼急な予定でも間に合うレストラン予約プラグイン──食べログ

同僚が集まったときや、取引先とのちょっとした商談や会食、あるいは記念日のディナーなどで、レストラン予約サイトの食べログを利用したことがある人は多いでしょう。

食べログは、料理や場所などでレストランが検索でき、評判や口コミを参考にしてお店の予約もできます。しかし、実際にあちこちのお店の口コミを見なければならないため、店を予約するまで時間がかかってしまうことも多いようです。

食べログプラグイン（Tabelog）

そんなときには、**食べログ（Tabelog）プラグイン**をインストールして、ChatGPTで回答してもらうといいでしょう。場所や訪れたい日時、料理の種類、料金などまでプロンプトで指定しておけば、食べログを検索して該当するレストランの候補を表示してくれます。

食べログを検索して、条件に合うお店の情報が表示されました。文中には料理の写真も掲載されています。指定した日の予約可能時間も記載され

ており、店名や「詳細はこちら」の部分をクリックすれば、そのまま食べログの該当ページに移動して、予約もできます。

条件に合う店舗が表示された

▼指定したアドレスのページを閲覧して回答──WebPilot

　無料版のChatGPTは、アドレスを指定してリンク先のサイトやページを参照し、プロンプトの指示に回答してくれる、といったことはできませんでした。無料版では2021年9月までのデータしか学習しておらず、URLを指定し

WebPilotプラグイン

てもWebを閲覧しにいく、といったことはできないのです。

　ところが有料版のChatGPT-4で**WebPilotプラグイン**をインストールすると、URLを指定して、そのページを参照して要約させたり翻訳させたり、といった指示が可能で、精度の高い回答も得られるようになります。

　特定の情報や最近の情報、あるいは翻訳が必要なページなどを扱いたいときは、このWebPilotプラグインを入れてプロンプトで指示してみるといいでしょう。

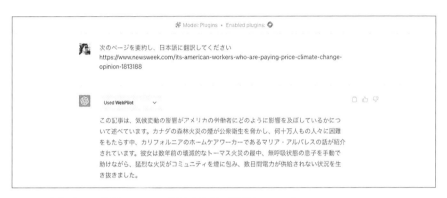

アドレスを指定して英語のニュース記事を要約・翻訳させてみた

▼最新のトレンドを調べる——Now

　GoogleにはGoogleトレンドといって、現在どのようなキーワードでGoogle検索が行われているかがわかるサービスがあります。あるいはキーワードを入力して指定すれば、そのキーワードがいつ頃どのくらい検索されたかをグラフで表示してくれます。

　このGoogleトレンドでは、特定のキーワードが世の中でどの程度話題になっているかを調べられます。同じようにX（旧Twitter）には、検索機能の中にトレンドという項目があり、どのようなキーワードやハッシュタグでツイート（ポスト）されているかを調べ、その時点のトレンドを調べられる機能があります。

どちらも現在の流行を知るために便利な機能ですが、ChatGPTに**Nowプラグイン**をインストールすると、GoogleトレンドとX（旧Twitter）のトレンドから最新の話題やトレンドを抜き出してくれます。

Nowプラグイン

流行を知るだけでなく、業界の最新の話題を調べたり、新製品のマーケティングの参考にしたりするといったこともできるプラグインです。

▼便利なプラグインが見つかる──PlugFinder

GPT-4で利用できるプラグインは、本書執筆時点で約600種類あります。この数は、日々増加しており、もっと便利なプラグインがどんどん出てく

> 日本の地図に関連するプラグインを教えてください
>
> 日本の地図に関連するプラグインは、具体的な使用目的によって異なります。以下にいくつかの人気のあるプラグインをいくつか紹介します。
>
> 1. Leaflet（リーフレット）：Leafletは、インタラクティブな地図を作成するためのJavaScriptライブラリで、多くのプラグインが利用できます。日本の地図に関連するプラグインとしては、日本語のタイルレイヤーや地理座標変換などがあります。
>
> これらのプラグインは、ウェブ開発やアプリ開発のコンテキストで利用されることが一般的です。具体的な使用目的や開発環境によって、最適なプラグインを選択してください。また、各プラグインの公式ドキュメントやコミュニティのサポートを利用することで、より詳細な情報や使用方法を確認することができます。
>
> ↻ Regenerate response
>
> Send a message
>
> ChatGPT may produce inaccurate information about people, places, or facts. ChatGPT May 24 Version

日本の地図情報に関連するプラグインを聞いてみた

るでしょう。

　プラグインはサードパーティが
作成しているものなので、その全
体像を把握している人はほとんど
いないのではないでしょうか。
ChatGPTの情報を掲載したサイ
トなどを定期的に検索してみるの
もいいのですが、ChatGPTに直

PlugFinderプラグイン

接聞いてしまうのも有効な手段です。そのとき役立つのが、**PlugFinder
プラグイン**です。

　PlugFinderプラグインをインストールしたら、どのようなプラグインが
あるのかプロンプトで質問してみます。「旅行プランが作成できるプラグ
イン」「レストランが探せるプラグイン」「画像生成に役立つプラグイン」
「地図情報に関するプラグイン」などと機能を指定し、どんなプラグイン
があるかChatGPTに聞いてみましょう。

　ChatGPTの回答に表示されているプラグイン名をコピーし、Plugin
storeで検索して該当するものをインストールすれば、ChatGPTをもっと
便利に活用できるようになるでしょう。

　プラグインは実際に使ってみるまで、その実力はわかりません。しかし、
利用してみて便利だったら、プロンプトでさまざまな指定をして、
ChatGPTの底知れない実力をとことん引き出してみましょう。

> **⚠️注意‼️**
>
> プラグインは同時に3種までしか利用できない。3種以上になるときは、
> New chatの画面でプラグインをクリックし、プラグインの一覧で使用し
> ないプラグインのチェックマークを外す必要がある。一度インストールし
> たプラグインは、いつでもチェックマークを付けて利用できるので、必要
> に応じて利用するプラグインを変更してみるとよい

Chapter 9

生成AIの
使い方と応用

GPT

ChatGPTとBing、Bardの違いを知っておく

ChatGPT以外のサービスも利用してみる

　本書ではChatGPTの利用法を詳しく解説してきましたが、ChatGPTと同じテキスト生成AIのサービスは、ChatGPT以外にも提供されています。

　ChatGPTは2022年11月に、米OpenAI社が公開したサービスですが、2023年2月にはマイクロソフト社の検索サービスであるBing（ビング）が、やはりChatGPTを利用してチャット検索が行える「**新しいBing**」を公開しました。

　同じChatGPTですが、OpenAI社のChatGPTは無料でGPT-3.5が利用できるサービスだったのに対し、新しいBingは最初は明記されていませんでしたが、実際にはGPT-4を利用したChatGPTで、ネット検索と組み合わせた独自サービスだったのです。

　GPT-3.5とGPT-4とでは、生成できるテキストの文字数や、言語モデルの持つパラメータ数に大きな違いがあります。GPT-3.5は約1兆7,500億個のパラメータを持ち、最大約5,000文字のテキストを生成・処理できます。

　一方、GPT-4は約100兆個のパラメータを持ち、生成・処理できるテキストの文字数は約2万5,000文字となっています。パラメータ数で約57倍、生成・処理できる文字数で約5倍もの差があります。

　こうなると無料版のChatGPTよりも、マイクロソフト社のBingのチャット検索を利用したほうが速くて賢くて、快適なのではないかと思いがちですが、そうでもありません。Bingはマイクロソフト社のブラウザであるMicrosoft Edge（エッジ）でしか利用できないのに対し、ChatGPTはどのブラウザからも利用できるからです。

さらに2023年3月には、米Google社が**Bard（バード）**の提供を開始し
ました。やはりテキスト生成AIのサービスで、同年5月からは日本語で
もテキストを生成できるようになりました。

Googleのテキスト生成AIであるBard。日本語でも利用できる

OpenAI社のChatGPTも、マイクロソフト社のBingも、おおもとは
ChatGPTです。ChatGPTはGPT-3.5またはGPT-4という言語モデルを利用
しています。人間の言葉に近い自然なテキストを生成するために言語モデ
ルが利用され、どの単語が出てきたら、次にどの単語が出てくるかという
テキストの組み立てを、確率を使って文章を作っています。そのためには、
複数のテキストを使って言語モデルを訓練しています。

一方、Google社のBardではPaLM2（Pathways Language Model 2）とい
うGoogle社が開発した大規模言語モデル（LLM）のひとつを使い、人間
に近い自然な言語の文章を作成できるようにしています。

GPTとLLMという言語モデルの違いで、ChatGPTとBing対Bardという
対決になりますが、ユーザーにとっては**どちらのサービスのほうが使い勝
手がいいか、どちらのほうがより自分が求めるテキストを生成してくれる
か**、という点が重要でしょう。この差を見極めるためにも、ChatGPT以
外のサービスも利用してみる必要があります。

Bingで検索とチャットを融合する

欲しい回答が得られるまで画面をクリックしていく

　まず、マイクロソフト社のBingです。Bingが利用しているのはOpenAI社のChatGPTですが、本家のChatGPTとは使い勝手や機能が大きく異なっています。

　前述のように無料版のChatGPTは、GPT-3.5という言語モデルを利用していますが、Bingが採用しているのはこれより進んだGPT-4というモデルです。そのため、生成されるテキストも大きく異なってきます。

　Bingを利用するためには、マイクロソフト社のEdgeというブラウザを利用する必要があります。これはマイクロソフト社のWebサイト（https://www.microsoft.com/ja-jp/）からダウンロードセンター→ブラウザと選択していき、Microsoft Edgeのページからダウンロードしてパソコンにインストールします。または、「Microsoft Edgeについて」と指定して検索し、ダウンロードページにアクセスしてもEdgeをダウンロードできます。

　インストール後に起動すると、最初にBingのページが表示されます。表示されないときは、アドレスを入力してBing（https://www.bing.com/）にアクセスします。すると、次のようなトップページが表示されます。

　Bingのページが表示されたら、画面上部の検索窓にキーワードなどを入

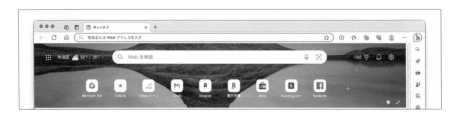

Bingのトップページ。検索窓にキーワードなどを記入して検索する。または何も記入せず、そのままEnterキーを押す

力して検索、あるいは検索窓に何も入力せず、Enterキーを押してみましょう。すると新しいBingのページが開きます。

　このページで、中央の検索窓に質問や要望、指示などを入力して検索します。または、「試してみる」をクリックしても構いません。さらに画面上部のメニューの「チャット」をクリックすると「新しいBingへようこそ」と書かれたページに変わります。

　このページが、テキスト生成AIのページです。画面下にある「新しいトピック」欄に、生成したいテキストの指示やキーワードなどを入力してEnterキーを押してみましょう。ChatGPTでいえばプロンプトです。

　たとえば、「取引先に送る挨拶状の文面を考えてください」と入力して指定してみました。回答の違いを見るために、無料版のChatGPTにも同じ質問をしたときの画面も掲載しておきます。

「新しいBing」のチャットのトップページ

「新しいBing」でテキストの生成を指示してみた

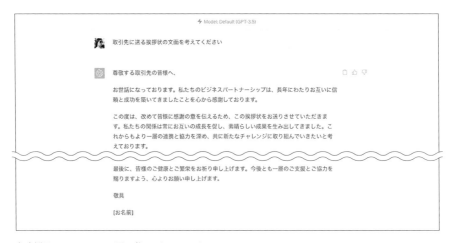

無料版のChatGPTで同じ指示をしてみた

　新しいBingと無料版のChatGPTで同じ指示をしてみたところ、ChatGPT
のほうが親切な回答が得られたように見えます。同じ指示なのに、Bingの
ほうはどのような文章が必要なのかという説明にとどまっています。

　ところがBingでは、**回答の下に「詳細情報」としていくつかのサイトが
掲載されています**。Bingの回答に書かれている注釈部分が、どのサイトか
ら引用しているのかを示すものです。この詳細情報のサイトをクリックす
れば、注釈部分のより詳しい情報が掲載されたサイトに移動するようにな
っています。

　さらにその下に、続けて会話する質問の候補も表示されています。この

候補をクリックすると、プロンプトに指示を与えたのと同じように、Bing との会話を続けることができます。

さらに、表示された Bing の回答には、画像の添付や次の質問の候補も表示されています。

このように Bing では、質問に対して回答があると、次の質問の候補が表示され、ユーザーはこの候補をクリックするだけで会話が続けられるようになっています。こうしてユーザーが求める回答が得られるまで、ただ質問の候補をクリックするだけでいいのです。

一方 ChatGPT では、どのような回答が得たいのかをユーザーがよく考えて指示を出す必要があります。ChatGPT の回答を見て、さらにどのような指示が必要なのかを考え、欲しい回答が引き出せるプロンプトを考えなければなりません。

言い換えれば、**Bing では適当に指示を与えても、欲しい回答が得られるまで画面をクリックしていけばよく、また必要なら回答に記入されてい**

表示されている質問の候補をクリックするだけで、Bing との会話が続けられる

るサイトを訪れ、もっと詳しい内容を調べることもできます。テキスト生成への指示と、ネット検索とを融合させたのがBingなのです。

　一方、ChatGPTではユーザーが欲しい回答を得るために、プロンプトをよく考えて指示を出す必要があります。そのためのテクニックも必要になってきます。

　これらの違いを知った上で、新しいBingとChatGPTを使い分けてみるといいでしょう。

Bardが得意なこと、ChatGPTが得意なこと

BardならGoogleの他のアプリなどと連携できる

　ChatGPTに対抗してGoogleが開始したのが、やはりテキスト生成AIのBardです。

　Bingを利用するためには、ブラウザにEdgeを利用する必要がありましたが、Bardはブラウザを選びません。Chromeでも構いませんし、EdgeでもFirefoxでもSafariでも、どのブラウザからでもBardは利用できます。

> 📖 **Memo**
>
> Bardならどのブラウザからでも利用できる

　Bardを利用するためには、ブラウザでBard（https://bard.google.com/）にアクセスし、Googleアカウントでログインする必要があります。ページ

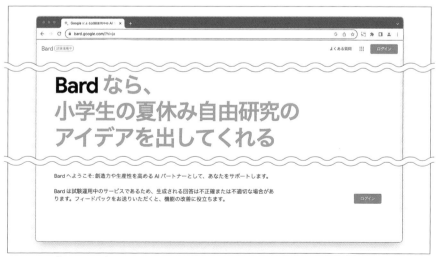

Bardのログインページ

内の「ログイン」ボタンをクリックし、Googleアカウント（Gmailアドレス）でログインします。するとBardのトップページが表示されます。

Bardのトップページ

　BardはChatGPTやBingと同じように、テキスト生成AIですから、画面の「ここにメッセージを入力してください」と書かれたボックスに、生成させたいテキストの要望を入力します。ChatGPTのプロンプトと同じです。

　ここでもChatGPTやBingと比較するために、前節で入力したものと同じ指示を入力してみましょう。

　画面そのものは、ChatGPTと同じような感じになりました。回答の上部にある「他の回答案を表示」をクリックすると、3つの回答案が表示されており、**回答案をクリックすることで別の回答を表示させることもできます**。

　生成されるテキストは、ChatGPTやBingとも異なっていますが、ChatGPTの操作に慣れているユーザーなら、まったく違和感なくBardでもテキスト生成が行えるでしょう。

　別のテキストを生成したいときは、左上の「チャットを新規作成」をクリックして、別のチャットを追加することもできます。これもChatGPTの「New chat」と同じような操作です。

　生成されたテキストは、右上の歯車をクリックして「公開リンク」を指定することで、誰もが閲覧できるリンクを作成して公開することもできます。

指示に従ってテキストが生成され、回答が表示された

　また、回答の下に表示されている共有ボタンをクリックすると、「Google
ドキュメントにエクスポート」「Gmailで下書きを作成」というメニュー
も出てきます。

　Bardが生成した回答を、そのままGoogleドキュメントにエクスポート
し、続きを書いたり編集したりすることが可能なのです。Gmailの下書き
として保存できれば、後でGmailに移動してこの下書きをもとにメールを
作成して送信する、という一連の操作も可能になります。

　Bardが他のテキスト生成AIよりも便利なのは、この**Googleの他のアプ
リなどと連携できる機能**でしょう。生成結果を文書やメールなどに加工し
て利用するなど、テキストを生成した後の操作まで連携して進められるの
です。

Google検索でChatGPTを使う

テキスト生成AIとネット検索のいいところを取った、新しい仕事のやり方

　BardはGoogleが提供しているサービスですが、Googleといえば世界のネット検索の92.08％（2023年7月、Statcounter調べ）という圧倒的なシェアを誇っています。ネット内の検索を行うなら、まずGoogleで検索するのがごく一般的なのです。

　そのネット検索とBardのテキスト生成とは、いずれ融合して検索しながらテキストを生成させたり、生成させたテキストを参照しながらネットを検索したり、ということも将来的には可能になるのではないでしょうか。

　しかし、今でもそんな便利な使い方ができます。ChatGPTとGoogle検索を組み合わせる方法です。Chrome拡張機能の「**ChatGPT for Google**」を利用する方法です。

　ブラウザにChromeを利用していれば、Chromeウェブストアにアクセスし、「ChatGPT for Google」拡張機能を検索してChromeにインストールします。

Chromeウェブストアで「ChatGPT for Google」をインストールする

「ChatGPT for Google」拡張機能をインストールしてGoogleにアクセスし、キーワードを入力して検索すると、画面右側にChatGPTの欄が表示され、ここでChatGPTの機能を利用できるようになります。

「ChatGPT」欄でプロンプトに指示を入力し、送信ボタンをクリックすると、ChatGPTによってテキストが生成され、回答が表示されます。

Google検索画面でChatGPTを利用できる

また、Google検索の画面で検索窓にキーワードを入力して検索を行うと、それがChatGPTのプロンプトとして使われ、ChatGPT欄でテキストが生成されて表示されます。

検索とテキスト生成とを組み合わせると、最初は少し違和感があるかもしれませんが、検索と生成との間を縦横無尽に行き来し、ネットを検索しながらテキストも生成できます。

仕事で必要な文書を、こうして検索して生成し、生成しながら検索すれば、AI任せではない、より精度の高い文書を作成することもできます。これがテキスト生成AIとネット検索のいいところを取った、新しい仕事のやり方といってもいいのではないでしょうか。

Bing Image Creatorで画像を簡単作成する

イラストや架空の写真が簡単に作成できる

　ChatGPTやBing、Bardは、テキスト生成AIに分類されるAIです。テキストを作成するためのAIなのです。このAIとは別に、さまざまな分野でさまざまなAIの開発も進んでいます。そのひとつが**画像生成AI**です。

　画像生成AIは、写真やイラストのような画像を作り出すAIです。少しわかりにくいかもしれませんが、ビジネス文書などでも画像を入れたいときがあるでしょう。製品の紹介やサービスの概要を説明する文書に、内容をわかりやすく表すような写真や画像を入れたいという要望も少なくあり

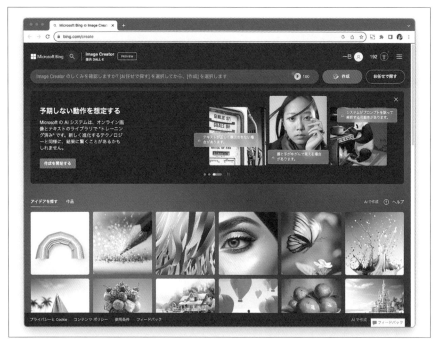

Bing Image Creatorのトップページ

ません。あるいは、プレゼン用のパワーポイントには、文字だけでなく画像を入れたスライドも作りたいものです。

　これらの写真やイラストといったものを、AIを利用して作成してしまうのが画像生成AIです。画像を生成するためには、どのような画像や写真が必要なのかを言葉によって指示する必要があります。その指示が、すなわちプロンプトなのです。

　画像生成AIの中でも、初心者でも手軽に利用できるのが、マイクロソフト社が公開している**Bing Image Creator**（https://www.bing.com/create）というサービスです。テキスト生成AIの「新しいBing」を利用するためには、マイクロソフト社のEdgeブラウザが必須でしたが、Bing Image CreatorはEdge以外の使い慣れたブラウザでも利用できます。

　Bing Image Creatorのトップページには、上部に検索窓のようなボック

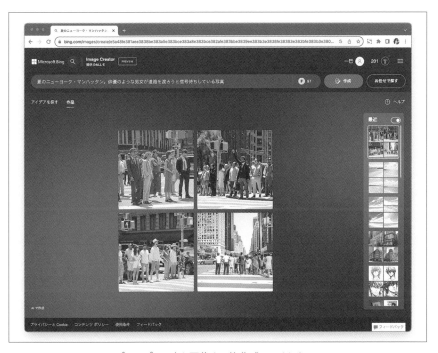

Bing Image Creatorがプロンプトに合う画像を4枚作成してくれた

スがあります。ここに作成したいイメージを言葉で入力します。たとえば、「夏のニューヨーク・マンハッタン。俳優のような男女が道路を渡ろうと信号待ちしている写真」などと入力し、Enterキーを押します。すると Bing Image Creatorが、前ページの画面のように文字で指定したキーワードや文章に合うイメージを4枚作成し、画面に表示してくれます。

　作成された4枚の画像のうち、気に入ったものがあればこれをクリックします。すると次のように指定した画像だけが大きく表示され、右側のメニューを指定して画像を保存したりダウンロードしたり、あるいは共有ボタンをクリックして画像のURLを表示し、他のユーザーなどと共有することもできます。

　画像を作成しようと思うと、これまではプロに絵を描いてもらったり、

気に入った画像をクリックすると、指定した画像が表示される。画像はダウンロードしたり保存したりできる

　必要な場所に行って写真を撮ったりするなど、多くの手間がかかっていました。ところが画像生成AIの登場で、プロンプトの指定さえうまく伝えられるようになれば、さまざまな画像や写真があっという間に作成できるようになったのです。

　画像生成AIを利用して作成した写真集やイラスト集といったものが、既にアマゾンで電子書籍として大量に販売されています。画像生成AIの登場で、イラストや架空の写真が簡単に作成でき、それを仕事にも活かせる時代になったのです。

　ただし、画像生成AIでは既にある画像や写真などを事前に学習させているため、生成される画像やイラストが、既存のものに酷似していることもあります。これらの画像生成AIが生成した写真や画像が著作権を侵害している懸念もあり、実は世界的に問題が出てきている状況です。既にアメリカでは、漫画家などが画像生成AIに自分の作品を無断で学習されたとして、訴訟問題にまで発展しています。

　生成された画像を自分だけで楽しむのなら構いませんが、商用利用したり公表する文書などに取り込んだりすると、後から著作権侵害で訴えられることも予想できるので、著作権がクリアになるまでは商用利用や公開する文書などには使わないといった注意も必要です。

Canvaなら新製品のパッケージが簡単に描ける

雰囲気を指定して自分のイメージに近い画像を生成する

　マイクロソフト社のBing Image Creatorのような画像生成AIは、これま
で画像を扱っていたようなサイトや、画像を扱うアプリを開発・発売して
いたようなソフトハウス、それに専門の研究機関などからも公開されてい
ます。

　そのひとつが、**Canva**というクラウドデザインサービスです。Canvaは
オーストラリアのキャンバ社が開発したオンライン上のデザイン作成サー
ビスで、日本ではKDDIウェブコミュニケーションズ社がCanva Japanと
してサービスを提供しています。

　このCanvaの機能のひとつとして、**Text to Image**という機能がありま
す。作成したい画像のイメージをキーワードで指定することで、生成AI
が適した画像を作成してくれる機能です。

　Canvaのホーム画面から右上の「デザインを作成」をクリックし、現れ

Canvaのホーム画面。会員登録すればこのページからデザインが作成できる

たメニューから作成したいデザインを指定します。するとデザイン作成画
面に変わるので、左側メニューの「アプリ」をクリックします。この中に
「Text to Image」があるので、これを指定します。

これでText to Imageのイメージ作成画面に変わるので、作成したいイメ
ージを説明するようなキーワードを入力します。

キーワードを入力してスタイルを選択したら、「イメージを作成」ボタ
ンをクリックします。これで画像生成AIによって画像が作成され、右側
のウィンドウに表示されます。

> ### 📖 Memo
>
> 「スタイル」欄で映画風、写真、レトロアニメなど雰囲気を指定すると、
> より自分のイメージに近い画像が生成される

最初のうちは、なかなか思うようなイメージが生成されないかもしれま
せん。どのようなキーワードや文章を指定すれば意図したような画像が生
成されるか、何度もトライしてみるといいでしょう。

しかし、こうして言葉で指定するだけで画像が生成されるのは、何だか
不思議な感じではないでしょうか。ただ画像を生成させるだけでなく、
Canvaにはさまざまなフォーマットがあるので、自社の新製品のパッケー
ジを生成してみたり、広告やポスターの原案のようなものを生成したり、
ということにも役立ちます。ビジネスにも役立てられる機能が盛り込まれ
ているのが、Canvaの大きなメリットだといっていいでしょう。

デザインの作成画面で「アプリ」を指定し、「Text to Image」を指定すると、イメージ作成画面に変わる

指定したキーワードに従って、イメージが作成されて表示される

Stable Diffusionでプレゼンのイメージイラストを何枚も簡単に作れる

画像生成AIの最先端

　画像生成AIの中ではトップクラスの人気があるといえるのが、**Stable Diffusion**（スティブル・ディフュージョン）です。これは、ドイツのミュンヘン大学の研究開発グループが、深層生成ニューラルネットワークの一種として開発したもので、いわば画像生成AIの最先端といってもいいものです。

　画像生成AIに共通していることですが、Stable Diffusionもプロンプトにキーワードなどを指定することで、指定されたプロンプトに従ってAIが画像を生成してくれるようになっています。

　高機能な画像生成AIであるStable Diffusionを使う方法は、2通りあります。1つはStable Diffusionをダウンロードして手元のパソコンにインストールし、利用する方法です。Stable Diffusionはオープンソースソフトウェアとして開発されているため、無料でダウンロードして利用できます。

　実際にファイルをダウンロードするには、PythonまたはWinPythonと、Gitという2つのファイルが必要になります。オープンソフトウェアですから、どちらもネットを検索すればダウンロード先が見つかるはずです。

> **⚠️注意‼️**
>
> Stable Diffusionを動作させるためにはそれなりのスペックのパソコンが必要

　Stable Diffusionを利用するもうひとつの方法は、Web版として公開されているサービスを利用して画像を生成する方法です。たとえばWeb Stable Diffusion（https://mlc.ai/web-stable-diffusion/）は、ブラウザでアクセスするだけでStable Diffusionでの画像生成を利用できます。

Stable Diffusion Onlineのデモページ

「Stable Diffusion Online」（https://stablediffusionweb.com/）も手軽に
Stable Diffusionの画像生成が体験できます。同サイトにアクセスし、「Get
Started for Free」ボタンをクリックしてみましょう。

　すると生成する画像を指定する画面が表示されます。「Enter your
prompt」と書かれたボックスに、生成させたい画像のイメージを具体的
に指定するような言葉を入力し、「Generate image」ボタンをクリックし
ます。

　ただし、Stable Diffusionが理解できるのは英語ですから、英語で指定す
る必要があります。そのため、英語が苦手な人は、Google翻訳やChatGPT
などを使って、日本語で指定したプロンプトを一度英語に翻訳しなければ
なりません。

　プロンプトを指定して「Generate image」ボタンをクリックすると、画
像が生成されて表示されます。

　作成された画像は、クリックすると大きく表示されるので、右クリック
メニューなどから画像を保存することもできます。画像生成AIがどのよ
うな画像を作り出せるのか、プロンプトをどう指定すれば、思い描いたよ
うなイメージが作成できるのか、そんなことを考えながら利用してみると

いいでしょう。

　生成されるイメージが気に入るようなら、独自にファイルをダウンロードしてローカル環境でStable Diffusionを動かしてみるのもいいでしょう。これなら仕事のプレゼン用資料の画像なども、手軽に何枚も作成できるようになります。

画像が生成されて表示された

他のアプリでAI機能を利用する

LINEやSlackで利用できる生成AI

　ChatGPTやBing、Bardといったテキスト生成AIや、CanvaやStable Diffusionといった画像生成AIなど、AIが身近で、しかも便利に活用できる時代になってきています。

　というよりも、実は既にAIはさまざまな分野で活用されており、今やインターネットに接続するサービスやアプリなどに、AI機能が盛り込まれているものも出てきています。

　たとえば、メッセージングアプリであるLINEでは、テキスト生成AIが簡単に利用できる「AIチャットくん」というサービスを紹介しましたが、他にも画像生成AIが簡単に利用できる「**AIイラストくん**」（株式会社picon）というLINEボットもあります。

「AIイラストくん」にテキストを送ると、これをプロンプトとして画像を生成し、送り返してくれるサービスです。実際にはStable Diffusionを利用したもので、高機能なStable Diffusionの画像生成AIを、LINEで誰でも簡単に利用できてしまうのです。

　あるいは、ビジネス向けのチームコミュニケーションツールであるSlack（スラック）を活用している企業も多いでしょう。コロナ禍によって在宅勤務が増え、同僚や社内でコミュニケーションを取るためにSlackを導入した企業も少なくありません。

LINEの「AIイラストくん」の画面

　このSlackには、**Slack GPT**が公開されており、さまざまなAIをSlack上で組み合わせたサービスが予定されています。

　そしてマイクロソフト社の**Copilot**（コパイロット）もあります。本書執筆時にはコパイロットの月額利用料金の発表があったところで、まだその全貌は見えていませんでしたが、ExcelやPowerPointでテキスト生成AIを利用して文章を作成したり、画像生成AIを使って画像を貼り込んだり、あるいはストレージに保存されているデータを読み込ませ、スライド資料を作成する、といった作業をAIが行ってくれるサービスです。

　仕事環境を中心に、AIが深く浸透しつつあります。AIによって何ができるのか、何が便利になるのか、どう仕事が変わるのか、それらを体験するために最も手軽なのが、テキスト生成AIのChatGPTではないでしょうか。

　ChatGPTを実際に使ってみて、AIによるテキスト生成を体験してみてください。きっとAIと共存する未来が見えてくるはずです。

索 引

武井 一巳（たけい・かずみ）

1955年、長野県生まれ。ジャーナリスト、評論家。

大学在学時より週刊誌・月刊誌にルポルタージュを発表。

ビジネスや先端技術分野の評論を行う一方で、パソコンやネットワーク分野、電子書籍などに関する解説にも定評があり、初心者向けのやさしい解説書を多数執筆。

著書に『スマホではじめるビデオ会議 Zoom & Microsoft Teams [iPhone & Android対応版] 』『今すぐ使えるかんたん Chromebook クロームブック 入門』（以上、技術評論社）、『スマートフォン その使い方では年5万円損してます』『月900円！からのiPhone活用術』『ジェフ・ベゾス 未来と手を組む言葉』（以上、青春出版社）、『Kindle 新・読書術』（翔泳社）など多数。

カバーデザイン	沢田幸平（happeace）
DTP	一企画

10倍速で成果が出る! ChatGPTスゴ技大全
チャットジーピーティー

2023 年 9 月 13 日　初版第 1 刷発行
2024 年 5 月 10 日　初版第 5 刷発行

著者	武井 一巳
発行人	佐々木 幹夫
発行所	株式会社 翔泳社（https://www.shoeisha.co.jp）
印刷・製本	中央精版印刷 株式会社

ISBN978-4-7981-8334-3　　　　　　　　　　Printed in Japan